I Dir Neb

Argraffiad cyntaf: 1999

⊕ Hawlfraint Eirug Wyn a'r Lolfa Cyf., 1999

Llun y clawr: Aneurin Jones

Rhif Llyfr Rhyngwladol: 0 86243 498 X

Cyhoeddwyd yng Nghymru
ac argraffwyd ar bapur di-asid a rhannol eilgylch
gan Y Lolfa Cyf., Talybont, Ceredigion SY24 5AP
e-bost ylolfa@ylolfa.com
y we www.ylolfa.com
ffôn (01970) 832 304
ffacs 832 782
isdn 832 813

Eirug Wyn
I Dir Neb

y Lolfa

D i o l c h i a d a u

Marion Eames a ddywedodd fod nofelydd hanesyddol yn ddyledus i eraill am wybodaeth arbenigol cyn dechrau ar ei waith sgwennu. Dydw inna'n ddim eithriad.

I 'mrawd-yng-nghyfraith, David Pretty, rydw i'n ddyledus – nid yn unig am ei gyfrol werthfawr *Rhyfelwr Môn* (Gee, 1989) ond am iddo hefyd fwrw golwg dros y gyfrol hon ac achub ei hawdur rhag sawl llithriad.

I Eiry Jones, golygydd Y Lolfa, am ei gofal, ei hamynedd a'i hawgrymiadau.

Y mae rhannau o'r llythyrau a gyhoeddir ar dudalennau 87, 97, 114 a 119 yn seiliedig (o ran cynnwys ac orgraff) ar ddyddiadur a llythyrau'r Private Thomas Richard Owen, Tyddyn Goedyn, Coedana, Llannerch-y-medd. Lladdwyd Pte Owen (yn y Somme) ym mis Medi 1918. Roedd yn 23 blwydd oed.

Y mae rhannau o araith y Parchedig John Williams, Brynsiencyn wedi'u dyfynnu o'i gofiant (Caernarfon 1929). Bu farw'r Parchedig Williams (yn ei wely) yn Nhachwedd 1921. Roedd yn 68 mlwydd oed.

Yn olaf, ni fyddai'r gyfrol hon wedi gweld golau dydd oni bai am un o ddarluniau'r arlunydd o Gwm Wysg, Aneurin Jones. Y paentiad hwnnw oedd man cychwyn y nofel hon ac rwy'n ddiolchgar i Aneurin, nid yn unig am yr ysbrydoliaeth ond hefyd am iddo (wedi cryn berswâd!) werthu'r darlun gwreiddiol i mi. Y darlun hwnnw sydd ar glawr y gyfrol hon.

I Aneurin,
gŵr ei fro a'i bobol

Pennod I

"GO DAMIA'R CYTHRA'L!"

Wrth glywed y fath araith ar wefusau'i gŵr daeth Catrin Hughes drwodd o'r gegin. Sychodd ei dwylo yn ei barclod ac edrychodd i gyfeiriad Tom.

Eisteddai hwnnw'n gam yn ei gadair yn y gornel, a'r *Genedl* ar ei lin, ac yntau'n ymestyn tua'r grât i daro'i getyn yn ffyrnig yn erbyn carreg yr aelwyd.

"Pwy sydd wedi dweud be rŵan?" holodd ei wraig.

"John Wilias, Brynsiencyn! Wormyngar! Dyna'r cwbl ydi o. Y rhagrithiwr iddo fo! Cerddad y wlad yma mewn lifrai a choler gron..."

Roedd yna bregeth arall ar y ffordd. Gwyddai Catrin hynny'n burion oherwydd roedd cael ei glwyfo yn Rhyfel y Boer ddechrau'r ganrif wedi newid meddwl ac agwedd Thomas Hughes tuag at ryfel.

"Waeth i ti heb ypsetio dy hun am y peth!"

Doedd gan Catrin ddim bwriad dechrau dadlau unwaith eto hefo Tom. Dyna'r cyfan oedd bywyd dyddiol iddi bellach. Bwydo, golchi, glanhau a cheisio dal pen rheswm hefo rhagfarnau'i gŵr.

"Politics ydi o i gyd!" rhuodd hwnnw. "Jyst am fod Ymerodraeth Prydain Fawr yn crebachu, mae hyd 'noed Gymry da fel Lloyd George ac Owan Thomas isho dangos i ni gym'int o Saeson pybyr ydyn nhw!"

Taflodd Catrin un olwg frysiog ar ddarlun Lloyd George

a hongiai uwchben y lle tân, cyn mynd at ei gŵr. O leiaf roedd y gwleidydd mwstashog yn dal i wenu. Taclusodd Catrin y flanced ac estynnodd ei dun baco i Tom. Rhoddodd brociad i'r ll'gedyn o dân a gadwai drwy'r haf yn bennaf i ferwi'r tegell, a thaflodd ddarn o bren i'w ganol.

"Tisho spilsan?"

Am ennyd, tawelodd Tom. Llanwodd ei getyn a thaniodd. I geisio troi'r sgwrs holodd Catrin ef am eu meibion.

"Be ma'r hogia'n ei wneud heddiw?"

"Mae Hugh wedi mynd i gloffrymu defaid i'r Ffridd Ucha, wedyn mae o fod i hogi'r pladuriau yn barod i fynd i Dyrpag Ucha 'fory, os dalith y tywydd, ac mae Johnny'n trwsio ffens Tir Neb – unwaith eto! Go drapia'r hogiau felltith 'ma! Oes raid i bawb yn y fro fynd i garu ffor'no?"

"Tir Neb ydi o Tom. Ni sy'n gyfrifol am un ochr, a Thyrpag Ucha'n gofalu am yr ochor arall. Dyna'r trefniant."

"Ond ni sy'n gorfod trwsio ar eu holau nhw!"

"Mi fuost titha'n gwneud dy siâr o garu yno hefyd!"

Roedd hi wedi meddwl i hynny fod yn sylw ysgafn, ond unwaith y croesodd y geiriau ei gwefusau roedd hi'n edifar am eu llefaru.

"A thitha." Roedd yna goegni yn y ddau air.

Am un eiliad, daeth y Sadwrn hunllefus hwnnw yn ôl i gof Catrin Hughes. Yr amser hwnnw, roedd hi eisoes wedi bod yn briod ers deng mlynedd. Roedd hi ar ei ffordd yn ôl o'r pentref pan ddaeth wyneb yn wyneb ag Evan yn Nhir Neb. Roedd Evan wedi bod yn y Bull am y prynhawn ac er ei fod yntau yn briod â Miriam ers blwyddyn neu ddwy doedd o erioed wedi celu ei hoffter o Catrin Cae Cudyll.

"Un gusan fach! Cyn i mi fynd adra at y ddraig!" meddai wrth Catrin.

"Rwyt ti wedi meddwi, Evan! Cofia'n bod ni'n dau'n briod!"

Wrth geisio gafael amdani, baglodd Evan a buasai wedi disgyn ar ei wyneb oni bai i Catrin ei ddal yn ei breichiau. Disgyn wnaeth y ddau i'r clawdd, fodd bynnag, ac er ei holi'i hun ganwaith os nad filwaith wrth gofio'n ôl wedi hynny, wyddai Catrin ddim yn iawn pam yr idliodd iddo. Mewn ychydig eiliadau roeddan nhw'n caru'n ffyrnig ym môn y clawdd.

Wedi trwsio'i dillad ac eistedd yn ymyl Evan i gael ei gwynt ati fe sylweddolodd Catrin yn sydyn fod Tom a Johnny yn cerdded llwybr Tir Neb tuag atynt. Gwelai Tom, a'i bwys yn drwm ar ei ffon, yn prysuro atyn nhw.

Cofiai ei meddwl yn rasio'n wyllt. Faint oeddan nhw wedi'i weld? Cyn i'w gŵr a'i mab gyrraedd atynt roedd Catrin wedi codi, a cheisiodd ei hesgusodi'i hun. Roedd Evan yn dal i orwedd yn hurt ar lawr.

"Evan 'ma syrthiodd… wedi meddwi, ac wrth ei helpu i godi mi ddisgynnais inna…"

Ddywedodd Tom ddim byd wrthi. Edrychodd ar Evan.

"Fedri di fynd adra?"

Yn drwsgl, cododd hwnnw.

Heb edrych ar ei wraig, rhoddodd Tom fraich o dan gesail Evan a gorchmynnodd, "Catrin, dos di â Johnny adra. Mi a' i i Dyrpag Ucha hefo Evan."

Cofiai Catrin fel yr oedd yn crynu i gyd wrth gerdded adref law yn llaw â Johnny.

"Be o'dd matar ar Yncl Evan, Mam?"

"Wedi bod yn y Bull o'dd o."

Cofiai iddi newid ei dillad, a'i golchi'i hun cyn i Tom

ddychwelyd. Cofiai'r cnoi oedd yn corddi'i stumog wrth ei ddisgwyl adref. Ond wedi dod adref, ddywedodd o ddim byd am Evan wrthi. Hyd yn oed y noson honno, wrth iddi ildio iddo yn y gwely a beichio wylo yn ei freichiau wedyn, ddaru o ddeud dim oll, dim ond mwytho'i gwallt yn gariadus ac yn dawel.

Ac rŵan, ar ôl yr holl flynyddoedd, roedd o'n ei hatgoffa hi o hynny?

A thitha.

Edrychodd Catrin i fyw llygaid ei gŵr. "Mae hynna drosodd ers deunaw mlynedd."

"Ydi o?"

"Be wyt ti'n 'feddwl?"

Llamodd ei chalon am ennyd.

Ysgydwodd Tom ei ben. Unwaith eto, roedd yn edifar ganddo yntau agor ei geg.

"Ti sy'n iawn. Mae o drosodd ers deunaw mlynedd. Mi fasa'n rheitiach i mi fod wedi cau 'ngheg ac anghofio."

Sŵn Mot yn cyfarth ac yn crafu'r drws cefn yn wyllt a dorrodd ar eu sgwrs. Ochneidiodd Catrin, a bron nad ydoedd yn ochenaid o ryddhad o'i weld.

"Ma'r hogia'n ôl," meddai. " 'Sa'n well i mi fynd i baratoi swper."

Agorodd y drws cefn a rhuthrodd y ci defaid i mewn i'r gegin ac aeth yn syth tuag at Evan.

"Dos â'r ci 'ma allan!" gwaeddodd Catrin yn flin ar ei mab.

"Gad lonydd iddo fo!" meddai Tom. "Fedra i ddim mynd allan ato fo'n hawdd iawn y dyddiau yma yn na fedra? Sut wyt ti, Mot bach?"

Daeth Johnny i'r ystafell. Roedd o'n ddwylath cyhyrog o labwst cryf.

"Sut mae 'Nhad?" gofynnodd i'w fam wrth i honno'i basio am y gegin.

"Yng ngwddw Lloyd George a John Wilias," a thaflodd winc arno cyn gadael. "Ond mae Lloyd George yn dal i wenu arno fo!"

"Be mae John Wilias wedi'i wneud heddiw?"

Roedd Tom yn dal i fwytho gwddw'r ci.

"Darllan *Y Genedl* i chdi ga'l gweld be ma' gweinidogion yr Efengyl yn 'i feddwl heddiw!

"Y recriwtio 'dach chi'n ei feddwl? O'dd Henry Owan yn deud pnawn 'ma bod yna hannar dwshin 'di listio yn Llangefni yr wsnos dweutha."

"Mae o'n rong, Johnny! Gyrru hogia'r hen shir 'ma i gwffio dros Saeson."

"Mae Hugh ar dân isho mynd!"

"I gwffio!"

"Ia."

"Hugh ni?"

"Mi welodd fab Tresgawen i lawr stryd y dydd o'r blaen. Roedd o a hogyn hyna Owan Thomas yn eu hiwnifform yn martsio i fyny ac i lawr y Stryd Fawr fel 'tasan nhw bia'r lle."

"Fel 'na'n union o'n i yn ei oed o! Apêl yr iwnifform! Go damia nhw! Un peth ydi'i lordio hi mewn iwnifform lachar, lân ar hyd strydoedd Llangefni, peth arall ydi bod ar dy fol mewn mwd a llaid a gwaed ar ddaear Ffrainc."

Gwelodd Johnny gyfle i droi'r sgwrs.

"Sôn am ffos, mi fydd yn rhaid i ni agor un ochor ucha i ffens Tir Neb w'chi. Ma'r gwlybaniath wedi pydru rhai o'r pyst sy'n dal y ffens. Mae 'na ddau neu dri wedi disgyn ac ma'r defaid yn crwydro."

"Pobol sy'n dringo drosti i'r coed! Does gin bobol ifanc

hiddiw ddim parch at eiddo."

"Pw' bynnag sy'n gyfrifol, mi fasa'n well i ni drio gwneud rhywbath cyn y gaeaf."

"Oes gynnon ni stancia ar ôl?"

"Ma' 'na hannar dwsin yn y 'sgubor."

"Pryd cei di amsar i'w thrwsio hi?"

"Mi fyddan ni yn Nhyrpeg Ucha 'fory... drannoeth neu drennydd? Bora o waith ar y mwyaf, os medar Hugh ddod hefo fi."

"Be ti'n 'feddwl 'os' medar Hugh ddŵad? Ydi o ddim yma?"

Ysgydwodd Johnny'i ben.

"Ma' petha er'ill yn mynd â'i fryd o'r dyddia yma!"

"Be 'lly?"

"Merchaid... a soldiwrs!"

Roedd Johnny wedi bwriadu i hynna fod yn gerydd ysgafn, ond nid felly y gwelai Thomas Hughes hi.

"Ydi o'n esgeuluso'i waith?"

"Mae o'n crwydro tipyn."

"Aros i mi ei weld o!" Yna ychwanegodd, "Oni bai am yr hen goes felltith yma... Ydi o'n canlyn?"

"Mi faswn i'n dweud bod Elin Tyrpeg Ucha wedi'i swyno fo!"

"Be? Be haru o'n cyboli hefo honno!"

Edrychodd Johnny mewn syndod ar ei dad.

"Ma' Elin yn hogan iawn."

"Go damia fo'n esgeuluso'i waith!"

Am yr eildro edifarhaodd Johnny iddo ddweud dim. Dylai fod wedi brathu ei dafod o gofio un mor bigog oedd ei dad.

*　　*　　*

Er bod yr haul wedi diflannu dros y gorwel ers cryn chwarter awr, doedd y nos ddim eto wedi dechrau bwrw'i chysgodion dros bentref Llanywen. Eglwys a chapel a rhes gam o dai oedd y pentref ei hun, ond o fewn milltir neu ddwy i sgwâr y pentref roedd yna gryn ddau ddwsin o dyddynnod a ffermydd.

Un o'r ffermydd hynny, a oedd union filltir i'r dwyrain o'r pentref, oedd Tyrpeg Ucha. Mynydd Cefn Tŷ oedd enw'r bryncyn y tu cefn i Dyrpeg Ucha ers canrifoedd am a wyddai Evan Pritchard, ac i ben Mynydd Cefn Tŷ roedd o'n cerdded rŵan. Roedd yna ddiwrnod caled o bladurio'r tu ôl iddo, ac wedi diwrnod felly, doedd dim yn well gan Evan na cherdded i ben Mynydd Cefn Tŷ ac edrych i lawr dros fferm Tyrpeg Ucha a'i herwau.

Er ei fod wedi croesi'r hanner cant roedd yn dal yn heini. Ac mi fyddai'n profi hynny i hogiau Cae Cudyll yfory! Yn ei ddydd medrai bladurio o godiad haul, trwy de ddeg tan ginio, heb oedi o gwbl ond i dynnu'r gala hogi ar draws ei lafn bob rhyw chwarter awr. Na, doedd dim owns o ddiogi yng nghorff Evan Pritchard.

Wedi cyrraedd pen y bryncyn eisteddodd. Roedd mân oleuadau wedi'u cynnau yma ac acw o'i flaen.

Do, fe fu'n lwcus. Y fo fyddai'r cyntaf i gyfaddef hynny, ond roedd o wedi rhoi ugain mlynedd o lafur caled i'r tir hefyd. Chwarter canrif yn ôl, gwas oedd o yn Sguboriau ger Llangefni, ac yn bump ar hugain oed dechreuodd ganlyn Miriam Thomas, etifedd Tyrpeg Ucha. Ar y dechrau, digon gwrthwynebus oedd Oswald a Catherine Thomas. Wedi'r cyfan, onid gwas cyffredin oedd Evan Pritchard, a Miriam yn etifedd fferm hanner can erw? Ymhellach, roedd yna fwlch o wyth mlynedd yn eu hoedran. Wedi tair blynedd o garwriaeth, gwelai'r rhieni nad oedd twsu na thagu ar Miriam. Evan oedd popeth. Ddwy flynedd cyn priodi, fe gafodd Evan y cyfle i ddod yn was i Dyrpeg Ucha, ac roedd hi'n ddealledig gan bawb mai mater o amser a fyddai hi cyn i Miriam ac Evan briodi, ac mai nhw ryw ddiwrnod a fyddai'n etifeddu Tyrpeg Ucha. Ac fe ddigwyddodd hynny ynghynt nag a ddisgwyliodd neb.

Yn 1895 bu farw Oswald Thomas, gan adael gweddw, merch bedair ar hugain oed a gwas newydd droi ei ddeg ar hugain i ofalu am y fferm. O fewn blwyddyn, roedd Miriam ac Evan yn briod, a phan fu farw Catherine, dri mis cyn geni Elin yn 1897, fe ddaeth Tyrpeg Ucha – y fferm a'r tir – yn eiddo cyfreithlon i Evan a Miriam.

A doedd dim yn rhoi mwy o foddhad i Evan na dringo i ben Mynydd Cefn Tŷ ac edrych i lawr ar ei stad. Oddi yma, gallai weld y cyfan. Byddai'n adrodd enwau'r caeau'n uchel wrtho'i hun... Cae Pen Lôn, Cae Tarw, Cae Haidd, Cae Cefn Tŷ, ac ymlaen hyd at Maes Mawr, ei gae mwyaf. Hwn oedd yn ffinio â thir Tom Hughes, Cae Cudyll. Na, doedd hynny ddim yn gwbl gywir chwaith. Roedd yna lain o dir, dwy lath o led a chanllath a hanner o hyd, a fuasai'n destun sawl ffrae rhwng Cae Cudyll a Thyrpeg Ucha dros genedlaethau lawer. Llwybr trol oedd o mewn gwirionedd ac olion rhawtiau cenedlaethau wedi'u gwasgu'n ddarn caled o dir gyda dau glawdd o bobtu iddo. Roedd o'n cydio dau lwybr cyhoeddus. Tua hanner canrif ynghynt y setlwyd y mater. Cytunwyd y byddai tir Cae Cudyll yn ffinio ag un clawdd a thir Tyrpeg Ucha â'r clawdd arall. Doedd y llwybr ei hun yn dir i neb, ac felly yr enwyd ef.

Aeth ias drwy gorff Evan Pritchard. Cofiodd yn sydyn am y prynhawn hwnnw pan aeth i'r afael â Chatrin Cae Cudyll ar Dir Neb. A doedd pethau ddim wedi peidio'r diwrnod hwnnw chwaith.

Ei briodas fu'r unig gwmwl yn ei fywyd. Duw ŵyr, roedd o wedi ceisio newid Miriam, ond doedd hi ddim yn wraig fferm. Oeri fu hanes eu perthynas, er na wyddai Miriam ddim oll am ei gyfarfyddiadau ef a Catrin. Yr unig beth a'u cadwai gyda'i gilydd oedd Tyrpeg Ucha, ac Elin.

Edrychodd Evan tua'r gorwel. Byddai'n braf yfory eto. Mi ddôi Johnny a Hugh draw i bladurio, a chyda lwc byddai haul y bwrw Sul yn crino'r gwair a byddai'r cyfan yn das ddiddos cyn nos Fawrth.

* * *

"Dw i'n dy garu di, Elin! Dy garu di, dy garu di, dy garu di."

Roedd o'n sibrwd y gair 'caru' yn ei chlust gyda phob gwthiad. Roedd Elin erbyn hyn wedi ymollwng yn llwyr ac yn aros i'r don gyntaf lifo drosti. Ymestynnodd ei chorff i'w eithaf. Plethodd ei dwylo y tu ôl i'w phen a gwthiodd ei chorff i'w gyfarfod.

Roedd dwylo Hugh ym mhobman. Un eiliad roedd o'n anwesu ei hochrau a'i bronnau. Yna'n gafael yn ei hwyneb wrth ei chusanu'n llawn ar ei gwefusau poethion. Roedd ei ddwylo yn llithro ar hyd ei breichiau, ac roedd o'n sibrwd yn ei chlust unwaith eto.

"Dy garu di, dy garu di, dy garu di..."

"O! Hugh!"

Estynnodd hithau ei dwylo y tu ôl i'w gefn a gwasgodd ef yn dynn ati wrth deimlo'i symudiadau'n cyflymu. Cododd ei ben, ac edrych i fyw ei llygaid. Clodd eu gwefusau ar ei gilydd a chaeodd y ddau eu llygaid a chofleidio'n dynn.

Llithrodd ei ddwylo i lawr y tu cefn iddi. I lawr ac i lawr nes codi'i choesau'n uchel y tu cefn iddo yntau. Yna, wedi'r storm o garu, tawelwch a distawrwydd. Roedd y ddau yn chwys diferol.

Symudodd Elin ei gwefus at glust Hugh a sibrwd, "Unwaith eto?"

Gwenodd arni. "Swper!" meddai, gan godi ar ei draed. "Mi fydd swper yn barod. A ti'n gw'bod sut bydd Dad os bydda i'n hwyr! Arglwydd! Mi rydw i'n hwyr, mae 'di tw'llu!"

Cododd Elin ar ei heistedd a dechrau gwisgo.

"Pryd gwela i di?" gofynnodd.

"Tua naw?"

"Yn lle?"

"Tir Neb?"

"Fyddi di wedi cael dy swper erbyn hynny?"

"Bydda, a phregath am y Rhyfal gin Dad!"

"Ac mi fydd Mam a Dad wedi cael dwy ffrae o leia erbyn hynny!"

"Elin."

Roedd o'n plygu drosti. Rhoddodd ei law ar ei bron. "Dw i'n dy garu di."

"Finna chditha!"

"Wela i di!"

A chyda hynny o eiriau, rhedodd Hugh o dŷ gwair Tyrpeg Ucha tua Chae Cudyll a'i swper.

Am ychydig funudau, gorweddodd Elin yn ei hôl. Roedd hi mewn cariad dros ei phen a'i chlustiau. "Hugh. Hugh." Sibrydodd ei enw'n uchel wrthi'i hun. Dyna'r unig beth a'i cadwai rhag gorffwyllo. Roedd cecru beunyddiol ei rhieni yn dân ar ei henaid, ond roedd hi'n fodlon dioddef oriau o hynny am yr ychydig funudau o bleser a gâi gyda

Hugh. Yna cofiodd am y perygl o feichiogi.

Aeth i gornel y tŷ gwair ac wedi ymbalfalu o dan y gwellt estynnodd y chwistrell. Aeth at y bwced dŵr a llanwodd y chwistrell yn araf bach. Estynnodd ei ffunen a sychu'r blaen yn lân. Martha oedd wedi dangos iddi beth i'w wneud. Yn araf, cododd ei ffrog a chyrcydu. Lledodd ei choesau a gwthio'r chwistrell i'w chorff. Roedd y blaen yn oer. Gwthiodd a theimlo'r dŵr yn ei llenwi. Yna, ymlaciodd. Tynnodd y chwistrell allan a disgwyl i'r llysnafedd lifo ohoni. Cododd ar ei thraed, a thaenu gwellt dros y cyfan. Cuddiodd y chwistrell, ac aeth tua'r tŷ.

* * *

"Lle buost ti?!"

"O gwmpas."

"Llyffetheirio rhai o ddefaid Ffridd Ucha, a hogi'r pladuria oeddat ti i fod i'w 'neud!"

"Dw i wedi'u hogi nhw."

"A'r defaid?"

"Mi fedra i orffan hynny rywdro eto."

"Mae dy fam 'di bod wrthi'n paratoi pryd i ni, a dyma chdi'n cerddad i fewn ar ôl i ni orffan! Ti'n gwbod yn iawn pryd 'dan ni'n b'yta!"

Ceisiodd Catrin swnio'n ddidaro.

"Gad lonydd i'r hogyn, Tom! Mae o adra rŵan, fydda i ddim chwinciad yn aildwymo'i fwyd o."

"Dal ar yr hogyn eto, fynta mor bengalad ag asgwrn Pharo! Mi fasa tri mis o ddrilio hefo sarjant-mejor yn gweiddi yn 'i dwll clust o yn gneud byd o les iddo fo!"

"Wormyngro ydi hynny!"

Troes Tom at Johnny. Doedd o ddim wedi disgwyl

hynna gan Johnny o bawb.

"Pawb yn f'erbyn i heddiw, yndi? Chdi sy'n cwyno nad ydi o byth yma!"

Ond aeth Johnny yn ei flaen.

"Fedrwch chi ddim ar un llaw ddeud eich bod chi'n casáu militariaeth, ac ar y llall ddeud y basa tri mis fel soldiwr yn gneud lles i Hugh, yn na fedrwch?"

Rhyw hanner gwenu ddaru Tom. Fydda fo byth yn galw Johnny'n feddyliwr mawr. Roedd o'n hogyn da a solat. Roedd o'n weithiwr dygn, ond roedd yna ryw dawelwch a swildod yn perthyn iddo fo. Roedden nhw fel teulu wedi dod i arfer â hynny, ond i ddieithriaid ymddangosai Johnny'n ddiniwed ac yn llywaeth.

Rŵan, roedd o wedi rhoi'i dad mewn cornel. Yr unig ffordd allan i Tom oedd rhoi'i bregeth arferol ac roedd Johnny wedi rhoi'r ciw perffaith iddo.

"Hogiau bach, peth hawdd i chi ydi rhamantu am soldiwrs a chwffio a martsio a saethu a phetha felly. Cofiwch 'mod i wedi bod drwyddi! A chofiwch beth arall. Pwrpas milwr ydi lladd 'i gyd-ddyn. Dim byd arall. Dyna 'di'r holl drenio, dyna 'di'r holl feddylfryd y tu ôl i ffurfio byddinoedd. Lladd. Lladd. Lladd."

Gosododd Catrin blatiad o fwyd ar y bwrdd. Roedd hi'n synhwyro y gallai'r sgwrs droi'n ddadlau mawr, ond Hugh oedd yr un i handlo Tom. Gallai droi ei dad rownd ei fys bach.

"Faint laddoch chi yn Affrica, Tada?" gofynnodd Hugh yn ddiniwed i gyd, gan blannu'i fforc yn y cig oedd ar ei blât. Rhag ofn i'r ddadl droi yn ei erbyn, roedd Hugh yn gofalu llenwi'i geg, fel bod ganddo waith cnoi. Rhoddai hynny amser iddo i feddwl am ateb.

Edrychodd Tom yn anesmwyth ar ei fab.

"Roedd lladd un yn ormod, Hugh bach."

"Oeddach chi'n reidio ceffylau yn Affrica?" Hen gwestiwn arall oedd yn cael yr un hen ateb bob tro!

"Dyna i chi beth oedd golygfa, hogiau." Caeodd Tom ei lygaid fel pe bai'n galw i gof yr hen frwydrau. "Owan Thomas – Brigadier Owan Thomas rŵan. Cymro yn arwain y *Light Horse Cavalry*. Roedd 'na filoedd ar filoedd o'r Boers wedi ymgasglu'n fyddin anferth ac yn nesu aton ni ar hyd lawr dyffryn y Coplas. Dw i'n cofio Capten Thomas yn ein hannerch, ninnau ar gefn ein ceffylau yn barod i ruthro tuag atyn nhw. 'Ddynion!' medda fo. 'Heddiw mae'n bryd i ni, nage mae'n rhaid i ni ddysgu gwers i'r anwariaid 'ma. Does gen i ddim amheuaeth nad y chi ydi'r milwyr gorau, a'r mwyaf disgybledig yn y byd. Dyna pam y byddwch chi'n reidio hefo fi tuag at y gelyn, ac yn mynd trwyddyn nhw fel cyllell trwy fenyn'!"

"A ddaru chi?"

"Do, mi ddaru ni. Doedd gan y cr'aduriaid ddim gobaith. Dwy res o reifflwyr y tu blaen i ni. Y rheng gynta'n penlinio, a'r ail ar eu traed y tu ôl iddi. Ninnau, chwe chant a hanner ohonom, ar ein ceffylau y tu ôl iddyn nhw. Roeddan ni'n aros yn ein hunfan yn gwylio'r Boeriaid yn dynesu. Aros nes oeddan nhw o fewn cyrraedd y reifflwyr. Yna, fe ddaeth y gorchymyn. Dwy foli yr un gan y reifflwyr nes oedd y Boeriaid yn disgyn fel pys, yna'r reifflwyr yn chwalu ac yn gwneud lle i ninnau ruthro yn ein blaenau. Pob milwr yn chwifio'i gleddyf yn ei law dde a'i bistol ac awenau'i farch yn ei law chwith."

"Faint laddoch chi?"

"Roedd un yn ormod."

"Ond rhyfal oedd o!"

"Mwrdwr oedd o, Hugh bach. Mwrdwr oedd o."

"Be 'dan ni i fod i'w 'neud hefo'r Jyrmans rŵan 'ta?"

"Problem Lloegar 'di hi, ddim problem Cymru."

"Ac os neith y Jyrmans ddod drosodd i Loegar, a'i goresgyn hi fel maen nhw wedi 'neud hefo Belgium, fydd hi'n broblem i ni wedyn?"

Trawodd Tom ei law yn erbyn ei goes.

"Fuodd cwffio yn Affrica'n werth hyn i mi?"

"Mae Idwal Tŷ Mawr 'di listio. Ffor Cing an Cyntri!"

"Ma' isho berwi'i ben o! Pa frenin a pha wlad, Hugh?"

"Ein gwlad ni 'ndê?"

"Lloegar sydd ei angan o, Hugh, nid Cymru."

"Mae Idwal yn Kinmel, barics sbeshal gin Fyddin Cymru. Dyna a ddeudodd Kate wrth Elin."

Estynnodd Tom *Y Genedl* a'i daflu at Hugh.

"W't ti 'di gweld yr adroddiadau o Ffrainc?"

" 'Dan ni'n ennill medda Kate."

"Ugain mil wedi'u lladd mewn un d'wrnod, Hugh! Ti'n galw hynna'n ennill?"

"Ond ma' pawb yn mynd, Dad. A'r sôn ydi, os na chân nhw ddigon o folyntïars y byddan nhw'n gorfodi pawb i fynd."

"Mi fasa'n rheitiach i John Wilias bregethu efengyl Crist hyd y wlad 'ma, yn lle strytio o gwmpas fel ceiliog dandi mewn iwnifform a cholar gron! Chafodd y Diafol 'rioed cystal cyrnol â fo!"

"Pam aethoch chi i ddilyn Owan Thomas i Affrica, 'ta?"

"Doeddwn i ddim yn gw'bod yn well, 'ngwas i, a doedd gen i neb i ddweud yn amgenach wrtha i."

"O'dd Evan Tyrpeg Ucha'n deud bod John Wilias, Ellis Jones Griffith ac Owan Thomas yn dod i'r dre i annerch ddydd Sadwrn nesa," meddai Hugh.

"Recriwtio ydi'u bwriad nhw, watsia di be dw i'n 'ddeud.

Hel hogiau Môn i gwffio ac i farw. Go damia nhw! Ro'dd Lloyd George yn gw'bod yn iawn be o'dd o'n 'i 'neud pan ddewisodd o John Wilias. Y cnaf iddo fo!"

* * *

Yn ôl yr arfer bellach, distawrwydd oedd yn teyrnasu uwchben y pryd bwyd yn Nhyrpeg Ucha. Yr un fyddai'r drefn bob tro. Fe fyddai Miriam yn paratoi'r pryd yn y gegin fach tra byddai Elin ac Evan yn sgwrsio yn y gegin fawr.

Yna deuai Miriam drwadd gan slamio'r platiau, a hynny a fyddai'n dynodi ei bod yn amser mynd at y bwrdd. Yr unig sgwrs fyddai'r un rhwng Elin ac Evan, neu Elin a Miriam. Roedd yna ddieithrwch distaw ac annifyr wedi tyfu rhwng y gŵr a'i wraig.

A doedd heno ddim yn eithriad.

"Ble buost ti'r pnawn 'ma?" holodd Miriam.

"Am dro."

"Ymhle?"

"Crwydro."

"Ymhle!"

"Tir Neb."

Distawrwydd.

"Welaist ti rywun?"

"Johnny... a Hugh."

"Mi fyddan nhw yma 'fory," meddai Evan. "Ella y basa'n syniad i chi ddod â te ddeg i'r Maes Mawr, i ni ga'l sbario dod i fyny'r holl ffordd. Mi gym'rwn ni ginio wedyn at yr un 'ma."

Gorchymyn oedd hwnna nid sylw, ac am eiliad bu ond y dim i Miriam herio'i gŵr, ond fedrai hi ddim meddwl am un esgus digonol i wneud hynny. Evan y bòs oedd newydd lefaru, nid Evan y gŵr. Evan oedd yn ei thrin unwaith eto fel morwyn fach.

Fel pe bai'n synhwyro anfodlonrwydd ei mam, dywedodd Elin, "Mi ddo i lawr atach chi at y deg. Mi gaiff Mam lonydd wedyn i wneud cinio."

Ei bwriad, unwaith eto, oedd ceisio lleddfu'r tensiwn a fodolai rhwng ei mam a'i thad, ond y tro hwn fe ffrwydrodd Miriam.

"Morwyn dw i yn y lle 'ma! Dim byd arall. Miriam gwna de ddeg, Miriam gwna ginio! Miriam gwna hyn! Miriam gwna'r llall!"

"Faeddist ti 'rioed dy ddwylo hyd y buarth 'ma!" Taflodd Evan y geiriau ati.

"Ond mi gest ti ffarm ar blât! Yn union fel rwyt ti wedi cael pob pryd bwyd ers deunaw mlynedd!"

"Ac wedi cael edliw pob un hefyd!"

Rhoddodd Elin ei chyllell a'i fforc i lawr ar ei phlât a'i wthio oddi wrthi. Cododd.

"Rydw i'n mynd am dro!" datganodd.

"Nac wyt ti ddim!" heriodd Miriam. "Mae gen i angen dy help di hefo'r llestri 'ma, ac mae isho llnau'r tatws a'r moron at 'fory. Cofia bod hogiau Cae Cudyll yn dod yma."

"Os 'dach chi'ch dau yn mynd i ffraeo eto, mi gewch chi lonydd i wneud hynny."

"Elin! Tyrd yn ôl yma! Elin!"

Ond mynd a wnaeth Elin. Clywodd ei Mam yn sgrechian, "Evan! Dwed wrthi!"

Aros yn ddistaw a wnaeth Evan. Nes iddo glywed drws y cefn yn clepian.

"Rwyt ti 'di llwyddo eto, yn do?"

"Wn i ddim be w't ti'n 'feddwl."

"Bob un pryd bwyd 'run fath! Mae pob un pryd o gwmpas y bwrdd yma yn troi'n ffrae!"

"Chdi sy'n esgeuluso dy ddyletswydda fel tad!"

"Ia fi, fi, fi! Da iawn rŵan! Pob peth sydd o'i le yn y lle 'ma, arna i mae'r bai! Wel ma'n ddigon gen i, dallta, redag lle mor fawr â hwn ar fy mhen fy hun bach – heb gymorth gwas na gwraig! Siawns na fedri di lwyddo i ddod i ben â rhedag y tŷ! Duw wŷr be arall 'ti'n 'i wneud drwy'r dydd bob dydd!"

"Mi fedra 'Nhad redag y lle 'ma'n iawn yn 'i ddydd!"

"Ac mi fedra dy fam gadw cow arnat titha! Ma'r hogan yna'n cael gwneud fel y myn! 'Tasa hi'n hogyn…"

Ac yna brathodd ei dafod. Doedd o ddim wedi bwriadu codi hyn eto. Roedd o'n gwybod beth oedd yn dod nesaf.

"Dyma ni o'r diwadd yn dŵad at wraidd pob dim sydd o'i le yn y lle 'ma. Chafodd Evan ddim mab! Merch gafodd o, ac mae hynny wedi bod yn dân ar ei groen o ers deunaw mlynadd!"

Cododd Evan o'i gadair.

"Sut ar wynab y ddaear yr arhosis i yma cyhyd wn i ddim!"

"Mi wyddost yn iawn ble mae'r drws! Mi ddoist ti yma heb ddim, ac mi gei di adal heb ddim hefyd!"

"A fuost ti 'rioed yn brin o edliw hynny i mi, yn naddo? Actio rhyw ladi-da fawr uffar, a dwyt ti ddim gwell na fi yn y bôn. Os rhywbath rwyt ti'n is! Y fi gododd y lle 'ma ar ei draed, mae 'na ugain mlynedd o lafur fy mywyd i wedi mynd i'w wneud o'r hyn ydi o, ac mae gin i hawl i bob modfedd o fy hanner siâr."

"Rw't ti'n brysur yn yfed dy siâr!"

"Hefo gwraig fel ti, does yna uffar o ddim arall i roi pleser i ddyn yn y lle 'ma ond yfed!"

Ac ar hynny cododd, a mynd am y gegin fawr.

"I'r cropar am joch bach o wisgi rŵan, mae'n siŵr!" Clywodd hi'n edliw ar ei ôl.

Ie, joch bach o wisgi. Dyna a fyddai'n dda rŵan. Ac aeth yn syth am ei bot pridd a thywallt dogn helaeth iddo'i hun.

Wrth ei yfed yn araf bach, clywodd y llestri'n clindarddach yn y gegin gefn wrth i Miriam eu casglu a'u cadw'n wyllt. Duw ŵyr sut roedd pethau wedi mynd mor bell â hyn. Tybed ai arno fo roedd y bai? Meddyliodd am Catrin Hughes, Cae Cudyll a daeth teimladau braf i'w feddwl. Roedd o'n teimlo'n genfigennus iawn tuag at Tom Hughes.

Roedd gan hwnnw wraig a dau fab! Gwraig synhwyrus, nwydus a chariadus. A Tom druan yn methu ei bodloni. Cododd Evan i estyn y pot pridd at ei gadair.

Roedd yna ddeng mlynedd er y dydd y dechreuodd o a Catrin gyfarfod yn gyson ac aildanio'r hen berthynas. Roedd y cyfan wedi dechrau'n ddigon diniwed. Doedd Miriam erioed wedi bod yn gapelwraig, a galwai Evan ac Elin heibio i Gae Cudyll bob bore Sul i fynd gyda Catrin, Johnny a Hugh i'r oedfa foreol. Ar y mynych deithiau hynny y daethai Evan yn ymwybodol o unigrwydd Catrin, ac y daeth hithau'n ymwybodol o anhapusrwydd priodas Evan a Miriam.

Peth hawdd ar y dechrau oedd siarad yn gyffredinol wrth gerdded. Roedd y plant yn iau yr adeg honno, ac yn rhedeg yn wyllt o'u blaenau neu'n aros i chwarae ar ôl yr oedfa.

Johnny oedd y broblem. Roedd o'n hŷn, ac yn deall popeth roedden nhw'n ei ddweud.

Un o'r Suliau hynny pan fynnodd Tom gadw Johnny gartref o'r capel y dechreuodd pethau o ddifri.

"Wnes i erioed ymddiheuro i ti am y noson honno yn

Nhir Neb flynyddoedd yn ôl!" meddai Evan, gan wthio'r cwch yn o ddwfn i'r dŵr.

Rhyw hanner chwerthin ddaru Catrin i ddechrau.

"Roeddwn i wedi anghofio..." cychwynnodd ddweud.

"Anghofia i fyth!" meddai Evan fel siot.

Yna, dywedodd Catrin wrtho mai o'r noson honno y dechreuodd ei pherthynas hi a Tom newid.

"Rydw i'n sicr iddo fo'n gweld ni," meddai. "Er na ddywedodd o air wrtha i am hynny fyth wedyn."

"Mi fydda i'n meddwl am y noson honno bob tro y bydda i'n cerdded Tir Neb," meddai yntau. "Ac mi fydda i'n cerdded yr hen le bob nos Sadwrn ar fy ffordd adref... tua hanner awr wedi naw fel arfer," ychwanegodd. Gwenu a chadw'n ddistaw a wnaeth Catrin y tro hwnnw.

Ond un nos Sadwrn, rai wythnosau wedyn, roedd hi yno am hanner awr wedi naw yn disgwyl amdano.

Roedd wedi meddwl ganwaith tybed ai dyna'r rheswm yr ymbellhaodd Miriam oddi wrtho. Oedd o, heb sylweddoli hynny, yn mynnu tynnu'n groes iddi bob cyfle a gâi?

Oedd o am gymryd nogyn arall? Oedd! Un llymaid arall i ail-fyw'r nosweithiau hirion braf a gafodd o a Catrin Hughes yng nghwmni'i gilydd. Weithiau allan yn yr awyr agored o dan y coed ger Tir Neb, dro arall yng nghlydwch tŷ gwair Tyrpeg Ucha. Roedd hynny'n rhoi rhyw wefr ryfedd iddo. Caru'n wyllt ac yn wirion am hanner awr neu awr, yna dod yn ôl adref, cymryd nogyn o wisgi ac ail-fyw'r cyfan wrth eistedd ar y sgiw yn y simdde fawr. Yn union fel yr oedd o'n ei wneud rŵan.

"Catrin Hughes!" sibrydodd wrtho'i hun. Caeodd ei lygaid.

* * *

Nid cymryd arni'n unig ei bod yn falch o'u cwmni wrth y bwrdd cinio a wnaeth Miriam drannoeth wrth groesawu Johnny a Hugh. Roedd hi'n falch o'r cyfle i wenu, yn falch o'r cyfle i siarad â rhywun ar wahân i Evan ac Elin.

Roedd Elin wedi sbriwsio drwyddi ers y bore hefyd. Bu'n cynorthwyo Miriam i baratoi cinio a hi a aeth â the ddeg iddyn nhw ganol y bore.

Rhyw gymysgedd o falchder a rhyddhad oedd yn sioncrwydd sgwrs Evan hefyd. Roedd o'n ffyddiog y byddai'r tri ohonyn nhw'n gorffen eu pladurwaith cyn machlud.

Roedd o wedi sylwi bod Johnny'n ddycnach gweithiwr na'i frawd, a fedrai o ddim peidio â sylwi chwaith ar y ffordd yr oedd Elin a Hugh yn llygadu'i gilydd.

"C'rhaeddwch ato!" meddai Miriam, gan wthio gweddill y tatws i gyfeiriad y brodyr.

"Os 'dach chi isho i ni weithio y pnawn 'ma, well i ni stopio b'yta, Mrs Pritchard! Ma' 'mol i'n llawn fel bwngi!"

"Weithi di ddim llawar wrth fyw fel brân! Pob gweithiwr yn gweithio'n well hefo llond ei fol. Dyna fyddai 'Nhad yn arfar 'i ddeud. Yntê, Evan?"

A thaflodd Miriam edrychiad cyflym at ei gŵr.

"Ia. Ia'n duwcs," atebodd Evan. "Mi fydda dy dad yn deud lot o bethau!"

"Fyddwch chi wedi gorffan heddiw, Dad?" holodd Elin, gan hanner synhwyro efallai fod yna ffrae ar fin codi ac y byddai'n well troi'r sgwrs.

"Wela i ddim rheswm pam na fyddwn ni."

"Mi ddo i â chnwswd ichi at y tri o'r gloch," meddai Miriam. "Ma'n siŵr y byddwch chi'n ôl ar eich cythlwng erbyn hynny!"

"Gân nhw swpar yma hefyd?" holodd Elin, gan osgoi

edrych ar ei mam. Gwyddai nad oedd hynny wedi bod yn fwriad ganddi.

"Mi fydd Mam wedi paratoi swpar i ni," meddai Johnny.

"Croeso i chi aros," meddai Miriam gan wenu ar y ddau.

"Na'n siŵr i chi. Mi fydd 'na swpar yn ein haros ni adra," meddai Johnny. "Ond diolch i chi am eich cynnig."

"Rwyt ti'n dawal iawn, Hugh?"

"Sori, Mr Pritchard. Meddwl am rywbath oeddwn i."

"Ma' Hugh yn meddwl mynd i'r Rhyfal," meddai Johnny.

"Be?"

"Hugh!"

"Na!"

Llefarodd teulu Tyrpeg Ucha'r tri gair yn un, ond sgrechian y 'Na!' a wnaeth Elin. Troes pawb ac edrych arni mewn syndod.

"Gweld pawb mor ddi-hid o'r peryg ydw i," meddai Hugh, gan feddwl y basai'n well iddo ddweud rhywbeth. Roedd o'n diawlio'i frawd am ddweud dim, cyn iddo fod wedi siarad gydag Elin am ei fwriad. Edrychodd ar Elin. "Beth bynnag, meddwl am y peth ydw i. Dydw i ddim wedi penderfynu eto."

Bu pawb yn dawedog wedi hynny, er gwaethaf ymdrech Evan i ailgychwyn y sgwrsio.

Wrth eu gweld trwy'r ffenestr yn ailgychwyn cerdded tuag at Faes Mawr aeth ias drwy gorff Miriam. Doedd hi erioed wedi meddwl am y peth o'r blaen, nes y gwelodd hi Hugh yn troi'n ei ôl ac yn codi'i law ar Elin a oedd ar y buarth. Am eiliad, fe'i gwelodd yr un ffunud ag Evan pan oedd hwnnw'n was ifanc.

Pennod 2

Y SADWRN CANLYNOL roedd hi'n dal yn eithriadol o braf. Roedd Johnny a Hugh wedi codi ar godiad haul, ac wedi cyflawni eu gorchwylion cyn brecwast.

"Ydach chi'n siŵr na chym'rwch chi r'wbath i fynd hefo chi?" holodd Catrin. "Mi wna i becyn bwyd i chi os 'dach chi isho."

"Ma' Elin 'di deud y bydd ganddi hi ddigon i ni'n tri," atebodd Hugh, gan ysgwyd ei ben ar ei frawd. Dyna'r trydydd tro iddo ddweud hynna wrth ei fam.

"Pam dyliai Miriam Pritchard eich bwydo chi'ch dau?" holodd hithau am yr eildro.

"I Hugh ma'r diolch am hynny!" meddai Johnny'n chwareus.

"Rho'r gora iddi!" rhybuddiodd Hugh.

"Mi fydda i'n eich disgwyl chi adra erbyn swpar beth bynnag!" meddai Catrin. "A chofiwch ddod â'r *Genedl* i'ch tad! 'Sgin ti bres, Johnny?"

"Oes Mam, ma' gin i bres."

Ac aeth y ddau allan yn eu holau i'r tywydd braf. Wedi cerdded am rai munudau, gofynnodd Hugh,

"W't ti am fynd i'r Bull?"

"Ma'n siŵr mai fan'no y bydd Ifan Perthi a Wil Hyw ar eu penna – a dw i'n siŵr na fyddi di ac Elin isho cwmpeini!"

"Watsia di i Dad glywad amdanat ti'n ll'meitian."

"Watsia ditha 'fyd! Wn i'm be fasa'n 'i wylltio fwya,

chdi'n dod â hogan i drwbwl neu fi'n ca'l llond cantar o gwrw!"

Gwthiodd Hugh ei frawd nes roedd ar ei hyd ym môn y clawdd. Chwerthin ddaru Johnny.

"Tydi o'n henffasiwn fel het!"

"Dw i o ddifri, Hugh," meddai Johnny wedi iddo godi. "Ma' nhw 'di sylwi dy fod ti yng nghwmni Elin yn amal ar y diawl, ac yn hwyr yn y nos 'fyd. A dydi Dad ddim yn lecio hynny am ryw reswm."

" 'Musnas i 'di hynny!"

"A fi sy'n ca'l fy holi'n dwll!"

Am ychydig bu Hugh yn dawel. Roedd o'n meddwl am yr adegau hynny y buodd o ac Elin yn y tŷ gwair neu yn cerdded Tir Neb. Roedd o'n cofio'r munudau melys. Doedd Johnny ddim yn dallt hynny. Doedd Hugh erioed yn cofio Johnny yn canlyn merch. Er ei fod yn edrych ar ei frawd hŷn fel arwr, ac wedi gwneud felly erioed, doedd o ddim fel petai o'n gysurus o gwbl yng nghwmni merched. Roedd yna ryw swildod yn perthyn iddo. Er ei fod yn gwlffyn tal a chyhyrog, ac yn cwarfod yr hogia'n aml yn y dre, eto hogyn distaw, dwys oedd o yn y bôn. Hyd yn oed yn y Bull ar bnawn Sadwrn, pan fyddai'r hogia eraill wedi blino sôn am y byd a'i bethau, pan fyddai'r sgwrs am gynhaeaf a phrisiau anifeiliaid a phorthiant wedi'i dihysbyddu a'r siarad yn troi i gyfeiriad morynion a merched y fro, a phwy oedd yn canlyn pwy, neu beth oedd trefniadau'r noson rhwng cariadon, rhyw ystwyrian i gychwyn am adref y byddai Johnny. " 'Fory ddaw!" fyddai'i frawddeg arferol, a chodai i gychwyn ar ei daith am Gae Cudyll.

Na, doedd Johnny erioed wedi bod yn un am y merched.

"Ddoi di i fyny atan ni i Gae'r Melwr am ginio?" holodd

Hugh, wrth iddyn nhw groesi heibio i geg llwybr Tir Neb a'i 'nelu hi am Dyrpeg Ucha.

"Mi ga i rywbath yn y Bull hefo'r hogia, 'sti," atebodd Johnny'n ddidaro.

Roedd o'n genfigennus o'i frawd bach. Roedd Johnny'n ymwybodol iawn bod pawb yn siarad yn ei gefn am ei ddiffyg gyrfa garwriaethol, ond doedd o erioed wedi bod yn gysurus yng nghwmni merch. Neu, fel y ceisiai ei gysuro'i hun, doedd o ddim wedi cyfarfod y ferch iawn eto. Roedd o wedi edrych a blysio, ac wedi breuddwydio am fod yng nghwmni degau ohonyn nhw, ond roedd yna rywbeth o hyd yn ei ddal yn ôl. Roedd Hugh, ar y llaw arall, yn gyfangwbl wahanol. Cofiai Johnny'n iawn y diwrnod hwnnw dair blynedd neu fwy yn ôl pan ddaeth Hugh adref a dweud wrtho ei fod mewn cariad ag Elin. Roedd o'n cofio'n iawn y saeth o genfigen a aeth drwyddo wrth wrando ar ei frawd bach yn arllwys ei galon wrtho. Ac fel yr aethai'r blynyddoedd heibio ac y datblygodd Elin yn eneth hardd, roedd yntau fel sawl llanc arall wedi blysio a dyheu a chenfigennu. Ond doedd o ddim wedi dangos dim.

"Ti am fynd i wrando ar John Wilias bora 'ma mwn?"

"Pam 'ti'n gofyn?"

"Fasa Dad ddim yn bles, 'tasa fo'n cl'wad bod yr un ohonan ni'n mynd yno."

"Iesu, Johnny! Ti'n ddyn yn dy oed a d'amsar. Gin ti feddwl dy hun yn toes?"

Anwybyddodd Johnny'r gic.

"Rwyt ti'n mynd felly, wyt?"

"Gan 'i fod o yn Neuadd y Dre, waeth i mi 'i glywad o ddim."

Mi geisiodd ddweud hynny'n ddidaro. Doedd o ddim wedi ceryddu'i frawd am ddweud yr hyn a wnaeth o wrth fwrdd bwyd Tyrpeg Ucha. Doedd o ddim wedi gweld Elin ers hynny chwaith.

"Ddaw Elin hefo chdi?"

"Daw, siŵr gin i."

"Ydi hi'n rhannu dy syniada gwirion di am y Rhyfal 'ma?" Cic yn ôl oedd honna.

"Waeth sut yr w't ti'n edrach arni, mae 'na ddwy ochor iddi. A fedri di ddim cerddad y ffens."

"Rw't ti'r ochor arall iddi felly, w't?"

"W't ti'n meddwl ei fod o'n rong i gwffio dros dy wlad?"

" 'Nôl be dw i 'di 'ddarllan am y Rhyfal 'ma, Hugh, nid cwffio fyddi di, jyst mynd yno i ga'l dy ladd!"

Roedd y pwyslais a roddodd Johnny ar y gair 'darllen' yn rhwystro Hugh rhag ei ateb am funud. Dyna un gwahaniaeth mawr rhwng y ddau frawd. Byddai Johnny'n treulio oriau yn darllen *Y Genedl* bob wythnos, yna'n trin a thrafod y cynnwys hefo'i dad. Doedd y gallu i ddarllen fel ei frawd ddim gan Hugh. Roedd o wedi stryglo yn yr ysgol Sul a'r ysgol ddyddiol. Er y gallai Hugh ddarllen ac ysgrifennu, doedd addysg ffurfiol erioed wedi bod yn un o'i gryfderau. Oedd Johnny'n awgrymu, am nad oedd yn darllen, nad oedd o chwaith yn deall? Penderfynodd Hugh beidio ag ymateb. Roedden nhw'n dynesu at Dyrpeg Ucha ac roedd o newydd weld Evan Pritchard yn cerdded ar draws y buarth i gyfeiriad giât y lôn.

Gwaeddodd Evan i gyfeiriad drws agored ei gartref wrth weld y ddau yn dynesu, "Elin! Ma'r hogiau 'di cyrraedd!"

Roedd Elin yn amlwg yn aros amdanynt, oherwydd daeth allan o'r tŷ ar amrant, a rhedeg tuag at y ddau a'i thad, a'i basged ar ei braich. Gwenodd ar Hugh, yna ar Johnny.

Gwenodd Hugh ac edrych i fyw ei llygaid. Gwenu ddaru Johnny i ddechrau hefyd, ond crwydrodd ei olygon pan ddaliodd ei llygaid.

"Mi gewch ddiwrnod braf o leia," meddai Evan, gan edrych i'r awyr. "Dim cwmwl nunlla heddiw."

Roedd Hugh wedi sylwi ar Miriam Pritchard yn sefyll yn nrws y tŷ.

"S'mai, Musus Pritchard!" gwaeddodd ar dop ei lais, gan godi'i law.

Cododd hithau ei llaw yn ôl cyn diflannu dros y trothwy ac o'r golwg i'r tŷ.

" 'Drychwch ar 'i hôl hi, hogiau!" oedd geiriau olaf Evan wrth iddyn nhw adael.

Dim ond i sgwâr Llanywen y cerddodd y tri gyda'i gilydd. Roedd Johnny'n cyfarfod rhai o'r hogiau yma, ac roedd yn gyfle i Hugh ac Elin fynd eu ffordd eu hunain. A mynd a wnaethon nhw ar eu hunion.

"Pa ffordd awn i?" holodd Elin

"Y ffordd hira, siŵr Dduw! Ti 'm isho'r criw yna i ddod ar ein gwartha ni!"

Chwarddodd Elin a phlethu'i braich am fraich Hugh. Y munud yr aethon nhw rownd y tro yn y ffordd, arhosodd Hugh. Gafaelodd yn y fasged a'i rhoi ar lawr.

Gafaelodd ym mraich Elin a'i thynnu ato. Cusanodd hi'n ysgafn i ddechrau, yna'n llawn ac yn wyllt. Pan deimlodd ei ddwylo'n dechrau crwydro, gwthiodd Elin ef oddi wrthi.

"Paid! Be 'sa rheina'n dod?"

"Be 'di'r ots?"

"Ma' ots gen i, iawn! Ydi dy gyllall bocad gen ti?"

Doedd Hugh ddim yn deall.

"Yndi, pam?"

"Ga i 'i benthyg hi am funud?"

Estynnodd Hugh ei gyllell iddi. Cymerodd hithau hi.

"Sbia!" meddai, gan bwyntio'n ôl at y sgwâr. Edrychodd Hugh i'r cyfeiriad yr oedden nhw newydd gerdded ohono. Taflodd Elin y gyllell gryn ddecllath; gafaelodd yn ei basged, ei chodi a dechrau rhedeg. "Gei di wneud be fynnot ti os byddi di ar Bont y Grîn o 'mlaen i!" gwaeddodd dros ei hysgwydd.

Chwerthin â wnaeth Hugh, a mynd i nôl ei gyllell cyn rhedeg ar ôl Elin. Roedd hi allan o wynt ac yn aros amdano ar y bont.

"Doedd hynna ddim yn deg iawn!"

"Mae 'na lot o betha annheg yn y byd 'ma!"

Eisteddodd Hugh ar ganllaw'r bont, lledodd ei goesau.

"Tyrd yma, Elin Pritchard!" Gafaelodd Hugh ynddi, ei thynnu ato a dechrau'i chusanu'n ffyrnig. "I ble'r awn ni?" sibrydodd yn ei chlust.

"I nunlla tan heno!" meddai hithau. "Dydi'r petha ddim gin i."

"Wnaiff o ddim gwahaniaeth... unwaith?"

"Fedran ni ddim cymryd y siawns, Hugh."

"Mi fedran ni briodi os digwyddith rhywbath."

"A wynebu dicter Evan a Thomas? Dim diolch!"

Estynnodd Hugh ei ddwylo o dan ei dillad.

"Mi wnawn i rai pethau a bod yn fwy na pharod i wynebu dicter Evan Pritchard a Thomas Hughes!"

"Mi gei di wneud hynny heno 'ta!"

"Tyrd i lawr at lan yr afon..."

"Na!"

"Jyst i ista! Glychu'n traed a sbio i'r dŵr."

"Sbio i'r dŵr?"

"Wel, sbio i'r dŵr, aballu..."

Chwerthin a wnaeth Elin, ond fe'i dilynodd i lawr at yr afon.

Pan geisiodd Hugh afael ynddi drachefn, fe'i gwthiodd oddi wrtho.

"Be sy' matar?"

"Chdi."

"Be dw i wedi'i 'neud?"

"Be wyt ti HEB ddeud wrtha i?"

"Be w't ti'n 'feddwl?"

"Dy fod ti'n bwriadu mynd i'r Rhyfal."

"Johnny a'i geg fawr…"

"Mae'n dda bod 'na rywun yn bwriadu deud wrtha i!"

"Jyst siarad am y Rhyfal dw i wedi'i wneud hefo fo… gweld pobol mor ddi-hid o'r peryglon ydw i, Elin."

"Ac wrth roi iwnifform ar dy gefn a rhoi gwn yn dy law, ma'r peryglon yn mynd i ddiflannu, ydyn nhw?"

"Oes 'na raid i ni siarad am hyn?"

"Arglwydd mawr, Hugh! Os wyt ti'n bwriadu 'ngadael i, a mynd i gwffio dros y môr, oes. Oes myn diawl i!"

"Elin! W't ti'n gw'bod na wna i ddim byd i dy frifo di, ac mi rw't ti'n gw'bod hefyd na wna i ddim byd byrbwyll." Fe wenodd pan ddywedodd o hynna. "Tyrd yma!"

* * *

Wrth edrych ar y dorf fechan oedd wedi ymgasglu, golwg siomedig tu hwnt oedd ar wynebau'r trefnwyr. Roedden nhw wedi hysbysebu'r cyfarfod yn eang. Roedd hysbysiadau lu wedi ymddangos yn y papurau lleol, ac roedden nhw'n sicr y byddai enwau'r Parchedig-Gyrnol John Williams, y Cadfridog Owen Thomas, a Syr Henry Jones yn sicr o ddenu tyrfa. Yn ychwanegol at hynny, roedd y papurau dyddiol yn llawn o hanes y Rhyfel ac apeliadau taer gan Lloyd George a Kitchener. Y bore 'ma, fodd bynnag, dyrnaid yn unig oedd wedi ymgasglu yn Neuadd y Dre i wrando.

John Williams a wnaeth y penderfyniad. "Mae'n rhy braf i ni fod i mewn yma, mi awn ni allan i'r sgwâr i annerch," meddai wrth y lleill. "Os na ddôn nhw i mewn atom ni, mi awn ni allan atyn nhw!"

Gafaelodd Owen Thomas mewn cadair. "Mi ddo i â phlatfform i chi!"

Allan yn yr awyr iach, gwelwyd ar unwaith fod yna nifer o bobl yn ystwyrian ac yn ymgomio o gwmpas y cloc ar y sgwâr. A thuag yno yr anelodd John Williams, Henry Jones ac Owen Thomas. Wedi cyrraedd at dŵr y cloc ar y sgwâr, esgynnodd John Williams i ben y gadair a dechrau tynnu sylw pobl a oedd wedi ymgasglu ger y cloc a'r rhai oedd yn pasio. Ymhen dim, roedd ganddo dyrfa go sylweddol o'i amgylch. Yn eu mysg yr oedd Hugh ac Elin.

Roedd rhai wedi ei adnabod, eraill yn gwybod ei fod yno'n annerch, ond roedd y rhan fwya'n aros i wrando arno mewn chwilfrydedd.

"Dwyt ti 'rioed isho gwrando ar John Wilias?" holodd Elin. "Ti'n gw'bod beth fydd 'i bregath o."

"Gad i ni glywed beth sydd ganddo fo i'w ddeud," atebodd Hugh gan ei thynnu tuag at y gweinidog.

Roedd o'n edrych yn dalp o awdurdod. Gellid tyngu mai milwr oedd o. Safai'n unionsyth ar y gadair yn ei wisg filwrol, a'i fodiau wedi'u bachu ym mhocedi ei diwnig. Gwibiai a fflachiai ei lygaid ar y dorf. Edrychai i fyw llygaid y môr o wynebau a'u herio. O edrych arno o hirbell, gellid casglu mai dyn mileinig oedd o. Roedd yna oerni lond y llygaid a rhoddai'r rhimyn main o geg wedd fygythiol i'w edrychiad. Ond yr hyn a dynnai sylw ato'n syth oedd ei goler gron. Ei goler gron a'i lais. Roedd yna awdurdod yn hwnnw hefyd.

Ei apêl gyntaf oedd gofyn i'r hogiau ifanc a oedd yn gwrando i ddod i'r tu blaen, yn agos ato. Ufuddhaodd amryw. Yna cyflwynodd ei ddau gyfaill. Nid bob dydd y ceid 'Syr' yn cerdded strydoedd Llangefni a chafodd Syr Henry Jones gymeradwyaeth wresog. Felly hefyd y Cadfridog Owen Thomas: Roedd o'n arwr milwrol yn ogystal â bod yn adnabyddus ym Môn. Yna anerchodd John Williams y dorf.

"Pan ddaeth Mr Lloyd George ataf, a gofyn i mi ei gynorthwyo i godi Byddin Gymreig, roeddwn i'n teimlo rheidrwydd i ymateb i'w apêl daer. Ond beth sydd yn bod arnoch chi, hogiau ffermydd Môn? Y mae Caergybi, gyda phoblogaeth o 11,000, wedi danfon 1,700 i rengoedd ein milwyr, tra nad yw Môn i gyd, gyda 51,000, wedi anfon ond 3,000! Chwi fechgyn gwritgoch Môn, hogia Llangefni, wnewch chi adael i fechgyn gwyneplwyd y trefi aberthu eu bywydau i'ch cadw chwi yn groeniach? Wnewch chi adael i'ch brodyr groesi'r weilgi o'r America a Chanada ac Awstralia, a chwithau yn trigo yn ddiofal yn ymyl? Gaiff yr Indiaid melynddu ddod yma wrth y miloedd i ymladd dros eich rhyddid a'ch iawnderau chwi, a chwithau'n ymdorheulo mewn cysur a chlydwch? Byddwch ddynion! Sefwch i fyny yn eofn dros eich gwlad, dros eich rhyddid a thros eich Duw!"

Cododd llais o'r dorf ar ei draws.

"Onid ydi'r efengyl yr ydach chi i fod i'w phregethu yn datgan 'Câr dy elynion!' ac onid ydi rhyfel yn groes i egwyddorion Cristnogaeth?"

"Ond mae hwn yn rhyfel cyfiawn, gyfaill! Mae ein dyletswydd yn eglur. Yn wyneb uchelgais hunanol, ysbryd gormesol ac ymddygiad creulon yr Almaen, llwfrdra noeth ac esgeulustra anfoesol a gwaradwyddus fuasai peidio â'i gwrthwynebu. Pa hawl sydd gan yr un ohonom ni i bregethu cariad? Gan y milwr yn y ffos y mae'r hawl i hynny. Y milwr sy'n rhoi hunanaberth uwchlaw pob peth arall. Mi ddyfynasoch chwi o'r Beibl, mi ddyfynnaf innau: 'Cariad mwy na hwn nid oes gan neb, sef bod un yn rhoddi ei einioes dros ei gyfeillion.' Y mae pawb yn aberthu – banciau, swyddfeydd – a phob dosbarth. Y mae dynion ieuainc sydd yn ennill cyflogau mawrion yn aberthu. Paham nad oes ond saith o feibion amaethwyr Môn wedi ymuno â'r fyddin? Evan Richards, John Hugh Williams, Idwal Hughes, Harry Jones, Mi wnaf yr addewid hon i chwi, wŷr ieuanc Môn. Deuwch! Mi ddeuaf innau gyda chwi!"

"I uffern John Wilias?" gwaeddodd rhywun. Chwarddodd amryw.

"I uffern, ac i'r bedd os bydd rhaid. I unrhyw le dros ryddid, gyfaill!" Aeth y gweinidog i'w boced, ac estynnodd ddarn o bapur. "Mae yna rai yn eich mysg yn tybio mai amhriodol i weinidog yr efengyl yw galw ar hogiau ifainc i fynd i faes y gad. Nid y fi yw'r unig weinidog sy'n wynebu ein cyfrifoldebau yn hyn o beth, gyfeillion. Dyma i chi benillion Y Parch J.G.Jenkins, Gwili, sydd hefyd yn eich annog i ddilyn y Cadfridog Owen Thomas.

'Wŷr ieuainc Cymru! Clywch yr alwad gref!
Corn y Gad sydd heddiw'n alwad nef,
Geilw'ch Cadfridog, geilw yn iaith ei wlad,
Geilw'ch dewr gymrodyr draw i'r gad.

Clywch ar y bryniau alwad megis gynt!
Llef fel llef Llywelyn gwyd y gwynt.
Ar arch eich Owen, codwch fel un gŵr;
Oni chlywch drwy'r glynnoedd waedd Glyndŵr?

Gwedi cadw gwiwdeb Cymru cyn y gad,
Ewch dan y faner purdeb glwys eich gwlad;
Rhoddwch i ormes anllad farwol glwy,
Fel na welo Ewrop ryfel mwy.

Fechgyn Cymru, wele daeth y dydd!
Ewch dan faner Cymru dros Ewrop rydd'."

Eisteddodd John Williams. Dechreuodd ambell un ei gymeradwyo, ond digon tawedog fu gweddill y dorf.

I gloi'r cyfarfod dywedodd Owen Thomas: "Yn ystod y dyddiau nesa 'ma, mi fydd y Mudiad Gwirfoddol ym Môn yn agor swyddfa yma yn Llangefni. Mae croeso i unrhyw un sydd am ymrestru ddod yno."

"Tyrd o 'ma, Hugh!" meddai Elin, wrth weld y rhan fwyaf o'r dorf yn dechrau gwasgaru.

Ond roedd Hugh yn ei thynnu tuag at y gweinidog a oedd yn sgwrsio â Syr Henry Jones a'r Cadfridog Owen Thomas, a chriw bychan o hogiau a oedd wedi aros o'u cwmpas. Cyn i Elin ddweud dim rhagor roedd Hugh wedi gafael ym mraich y gweinidog.

"Mr Williams?"

"Ia?" Troes hwnnw ato.

"Hugh Hughes, Cae Cudyll, syr."

"Sut 'dach chi, Hugh?" Estynnodd John Williams ei law. Ysgydwodd law â Hugh. Ar unwaith, teimlodd Hugh ei hun dan gyfaredd y gweinidog. Roedd yna bresenoldeb yn perthyn iddo. Roedd hi'n anodd iawn dweud pam roedd hynny. Efallai mai yn y ffordd y daliai ei hun – gwthiai ei frest ymlaen a'i ysgwyddau'n ôl; efallai mai yn y llais awdurdodol – roedd yna feddalwch a chadernid sicrwydd yn ei eiriau; neu efallai yn wir mai yn y llygaid duon, treiddgar. Sgwariodd fymryn, ac edrych ar Elin a safai y tu ôl i Hugh.

"A'r foneddiges yma?"

"Elin Pritchard, Tyrpeg Ucha."

"A! Tyrpeg Ucha, cartre'r hen Oswald Thomas gynt. Eich taid siŵr o fod?"

"Ia."

"Dyn nobl!" Trodd ei sylw'n ôl at Hugh. " 'Dach chitha Hugh felly'n fab i Tom a Catrin Hughes?"

"Yndw, syr."

"Dyn dewr, eich tad, Hugh. 'Leias o ddyn, a dyn fuo'n gwasanaethu ei wlad! A dyn aberthodd 'fyd, fel y Cadfridog Owan Thomas 'ma!"

"Gin i ofn nad ydi 'Nhad yn gweld petha felly rŵan, Mr Wilias?"

Symudodd y gweinidog fymryn yn ei ôl. "O! 'Dach chi'n deud?"

"Mae o'n erbyn y Rhyfal yma, syr."

"Mae 'na lawar sy'n teimlo'r un fath â fo, Hugh. Y peryg ydi y bydd hi'n rhy hwyr i wneud un dim erbyn y gwelan nhw'r gola." Oedodd am ennyd cyn ychwanegu, "Ydach chi'n credu fel eich tad?"

"Nac ydw, syr."

Rhoddodd y gweinidog hanner tro, a phlygu i estyn dalen o bapur o fag a oedd wrth ei draed.

"Fuoch chi'n gwrando rŵan?"

"Do, syr."

"Ydech chi am ymrestru? Ylwch, mae gen i fform yn fa'ma i chi." Estynnodd hi i Hugh. Bu yntau'n ei hastudio am rai eiliadau heb ddeall fawr ddim o'r geiriau oedd arni.

"Dydw i ddim yn siŵr. Mae 'nghalon i'n deud y dyliwn i."

"A pha beth bynnag a wneloch, gwnewch o'r galon, megis i'r Arglwydd. Dyna ma'r 'sgrythura'n 'i ddeud, Hugh."

"Cerwch eich gelynion, gwnewch dda i'r rhai a wnelo ddrwg i chi!" atebodd Elin fel bwled.

Cododd John Williams ei ddau fawd a'u bachu unwaith eto ym mhocedi'i diwnig, ac edrych yn hir ar Elin. Daeth gwên fechan i'w wyneb.

"Dw i'n siŵr y medran ni'n dau ddyfynnu'n o helaeth o'r Beibl drwy'r dydd i brofi pwyntia, Miss Pritchard! Ond cofiwch mai ifanc ydach chi'ch dau. Fel y byddwch chi'n heneiddio mi fyddwch yn magu profiad, fel y gwnes i, ac Owan Thomas acw, a Mr Lloyd George. Mi rydan ni yn credu bod hwn yn rhyfel cyfiawn, wyddoch chi, ac ma'r Hen Destament yn llawn o straeon am ryfeloedd cyfiawn, a'r dynion fuo'n ymladd gyda'r sicrwydd bod eu Duw a'u Harglwydd yn eu harwain."

"Tydw i ddim yn dadlau â chi, Mr Wilias…" atebodd Hugh, ond yna, roedd Elin yn torri ar ei draws eto.

"Mi fyddai Ellis Cefn Mawr yn deud yn 'rysgol Sul mai'r Hen Destament oedd yn dangos i ni beth oedd cam-gymeriadau mawr dynoliaeth, ac mai yn y Testament Newydd yr oedd ein hachubiaeth."

"Cariad mwy na hwn nid oes gan neb… o'r Testament Newydd y daw hwnna, Miss Pritchard! Ond fel y dywedais i, mi fedrwn ni'n dau ddyfynnu'r Beibl drwy'r dydd i brofi pwyntia!"

A rhywsut, gwyddai Elin, wrth i'r llygaid duon wenu'n

dosturiol arni, mai'r geiriau hynny oedd terfyn y ddadl rhyngddynt.

"Ylwch, Hugh, mi wn i na fydd y penderfyniad yn un hawdd i chi mwy nag y buo fo, ac y bydd o, i laweroedd yn ystod y misoedd nesa 'ma. Ffermio 'dach chi fel eich tad?"

"Ia. Efo 'Nhad a 'mrawd…"

"Ac mi fyddwch chi wrthi y gwanwyn nesa 'ma yn troi'r cwysi?"

Nodiodd Hugh heb ddeall yn iawn.

"Pan fyddwch chi'n gweld daear Môn yn troi o dan gwlltwr eich aradr, Hugh, wnewch chi gofio am yr hogiau sydd ar ddaear Ffrainc? Nid cyrn aradr fydd yng nghledrau eu dwylo nhw, Hugh, ond haearn arall. Yr un haearn ag sydd yn eu gwythiennau. Yr haearn hwnnw sydd am roi'r hawl a'r rhyddid i'r rhai a ddaw ar eich ôl chi i fyw mewn heddwch yma ar ddaear Môn."

"Rydw i'n ystyried ymrestru…"

"Gwnewch rŵan, 'machgen i. Does yna ddim amser fel y presennol."

Ond estyn y ffurflen yn ôl i'r gweinidog a wnaeth Hugh.

"Roeddwn i wedi meddwl cael amser i ymgomio hefo 'Nhad, ac ella Mr Roberts y gweinidog…"

"Am bob awr yr oedwch chi, mae hi'n awr gohirio rhyddid, 'machgen i."

Ond dan berswâd Elin yn bennaf, yn gafael yn ei fraich a'i dynnu oddi wrth y gweinidog, gadael a wnaeth Hugh. Gwyddai yn ei galon, fodd bynnag, y bu ond y dim iddo daro'i enw ar y papur.

"Be sy matar arna chdi?" holodd Elin yn ffyrnig pan oedden nhw allan o glyw. Roedd ei betrusder wedi'i dychryn. Atebodd o mohoni. "Rw't ti isho mynd, a 'ngadael i, 'n does?"

"Nid dyna ydi o!"

"Be ydi o 'ta?"

"Os na gwffiwn ni'r Jyrmans, pwy wnaiff?"

"Yn Ffrainc ma' nhw'n cwffio, Hugh, nid yng Nghymru!"

"Ac os collan nhw Ffrainc?"

Doedd Elin ddim eisiau dadl. Roedd hi wedi dod i Langefni i fod yng nghwmni Hugh. Dod i grwydro'r strydoedd a'r siopau. Dod i siarad ac ymgomio â ffrindiau a chyfoedion. Eistedd gydag eraill yng Nghae'r Melwr uwchlaw'r dre amser cinio i rannu'r brechdanau a'r llaeth a oedd yn ei basged, ac yna gerdded yn hamddenol adref gyda'r diwetydd ac oedi ar y ffordd i gofleidio a chusanu a charu cyn cyrraedd. Ond rŵan, roedd ei diwrnod yn troi'n sur. Roedd yna gnoi mawr yn ei stumog am fod Hugh â'i fryd ar listio. Byddai yn ei gadael. Ei gadael, ac efallai fyth yn dychwelyd.

* * *

Roedd hi'n haws rhoi Tom yn ei wely pan oedd yr hogiau gartref ond doedd Catrin Hughes ddim yn cwyno. Ddim ar nos Sadwrn.

Am naw yn ddeddfol, ac ar orchymyn Dr Evans yn hytrach nag o ddewis, byddai Tom yn ei throi hi am ei wely. Gydag un fraich am ysgwydd Catrin, a'r llall yn dal ei ffon, malwennai'r ddau eu ffordd at y parlwr ffrynt. Yno roedd gwely Tom. Gallai'r hogiau ei gario rhyngddynt, ond er pan ddechreuodd y ddau fynd i'r dre bob pnawn Sadwrn ac aros tan ddeg neu hanner awr wedi deg y nos ar brydiau, daeth y siwrnai ddeng munud o'r gadair ger y tân i'r parlwr ffrynt yn rhan o ddefod nos Sadwrn i Catrin.

Wedi rhoi Tom yn ei wely, dechreuodd Catrin baratoi at ddefod arall. Ar nos Sadwrn, hi fyddai'n sberu'r anifeiliaid a oedd o dan do, ac wedi'u porthi, os byddai'n noson braf, byddai'n cerdded at Dir Neb. Hanner esgus i fynd am dro, neu gwatsiad bod y giatiau i gyd ar gau – dyna fyddai wedi dweud pe gofynnid iddi; ond wrth gribo'i gwallt a'i glymu y tu ôl i'w phen, roedd yna gynyrfiadau bychain yn llifo trwy'i chorff wrth feddwl beth allai ddigwydd.

Yn ôl ei harfer, rhoddodd ei phen i mewn trwy ddrws y parlwr ffrynt cyn mynd allan. Roedd Tom yn ôl ei arfer wedi cysgu'n syth.

Fuodd hi ond ychydig funudau yn porthi'r anifeiliaid a chau ar yr ieir. Wedi gwneud hynny, dechreuodd gerdded i gyfeiriad Tir Neb. Wrth iddi nesáu, curai ei chalon yn gynt ac yn gynt. Fyddai Evan yno heno?

Roedd hi wedi peidio â theimlo'n euog am hyn ers peth amser. Roedd hi'n gwybod mai chwant cnawdol a dim arall oedd sylfaen ei pherthynas hi ac Evan. Roedden nhw'n cyfarfod yn Nhir Neb gan amlaf, yna'n mynd naill ai i'r rhedyn a'r coed a oedd wrth odre Mynydd Cefn Tŷ neu i dŷ gwair Tyrpeg Ucha.

Clywodd ei chwibaniad cyn iddi ei weld. Gwenodd. Roedd ei chorff yn ysu am y chwysfa.

"Catrin!"

"Evan!"

Gafaelodd Evan yn dynn amdani a'i chofleidio, yna'i chusanu'n hir.

"Well i ni fynd o fa'ma?"

"I ble?"

"I'r rhedyn! Sbia, gin i gôt fawr heno!"

Fraich ym mraich cerddodd y ddau ar hyd lwybr Tir

Neb, a throi tua'r llethr rhedynnog. Nid cerdded fel dau gariad linc-di-lonc ond cerdded gyda bwriad. Cerdded yn reit frysiog. Cerdded i bwrpas, a'r pwrpas hwnnw oedd cael ymgolli yng nghyrff ei gilydd am hanner awr.

"Neith fa'ma!" meddai Evan, a thynnodd ei gôt a'i thaenu ynghanol y rhedyn. Gorweddodd Catrin ar lawr. Disgynnodd Evan ar ei phen ac mewn dim aeth yn storm o garu gwyllt. Roedd yna frys yn eu caru hefyd. Gormod o frys i ddiosg dillad, dim ond agor a chodi crys a sgert a phais ac agor a gollwng trowsus.

Ymhen rhai munudau, a'r ddau wedi ymlâdd, gorweddent am ennyd ym mreichiau'i gilydd yn mân siarad. Yna dechreuai'r caru drachefn. Ddwywaith neu dair. A digwyddai hyn bron iawn bob nos Sadwrn.

* * *

"Hugh! Elin!"
Arhosodd y ddau. Roedden nhw ar fin cychwyn am adref pan glywson nhw lais Ifan Perthi yn gweiddi. Rhedodd hwnnw atyn nhw a'i wynt yn ei ddwrn.
"Johnny!" meddai. " 'Di brifo!"
"Yn lle? Sut?"
"Ca'l 'i slanu gin soldiwrs. Yn y Bull."
Rhedodd Hugh tuag at ddrws y dafarn.
"Aros! Hugh!" gwaeddodd Elin gan geisio'i ddilyn, ond roedd o wedi mynd fel ewig o'i blaen.
Pan gyrhaeddodd Elin, gwelai Johnny'n eistedd ar lawr y tu allan a gwaed ar ei wyneb. Roedd torf wedi ymgasglu o'i amgylch ac roedd un o'r hogia'n ceisio glanhau'i wyneb gyda chadach a phwcedaid o ddŵr. Roedd Hugh yn gwyro i lawr yn ymyl ei frawd.

"Pwy oeddan nhw?"

Ysgwyd ei ben ddaru Johnny.

Cododd Hugh.

"Pwy oeddan nhw?" gofynnodd i'r criw. Roedd pawb yn gweiddi eu hatebion ar draws ei gilydd.

"Tri boi... tri o swabia Caergybi."

"Hefo'r sarjant recriwtio…"

"Roeddan nhw'n prynu cwrw i bawb…"

"Mi wrthododd Johnny…"

"Gafodd o ddiawl o wab."

"Insyltio Cing an Cyntri. Dyna ddeudon nhw."

Daeth Elin at Hugh. Gafaelodd yn ei fraich. Gwyddai'n iawn beth oedd yn ei feddwl. Hel dau neu dri o hogiau at ei gilydd, dod o hyd i'r milwyr, a'u sgraglardio nhw'n gyrbibion.

"Well i ni drio'i ga'l o adra, Hugh."

Dyna'r peth olaf oedd ar feddwl Hugh. Roedd o eisiau mynd rownd y dre i chwilio am y milwyr.

"Hugh!" meddai Johnny. "Hugh!"

Plygodd Hugh at ei frawd.

"Adra! Awn ni adra!" sibrydodd wrtho. Ceisiodd godi, ond methu. Estynnodd Hugh ei law iddo. Yn ara bach, ciliodd ei ddicter. Wrth gwrs, Elin oedd yn iawn. Cael Johnny adref oedd orau iddyn nhw.

"Fedri di sefyll, Johnny?"

Roedd pob owns o'i gorff yn brifo. Wyddai o ddim yn iawn pam yr aethai atyn nhw i ddadlau o gwbl ac yntau fel tramp mewn sasiwn yn eu cwmni. Doedd o ddim wedi disgwyl y dyrnodau, ac ar ôl yr ail neu'r trydydd dwrn aethai'n nos ddu arno. Yn araf cododd a rhoi'i bwysau ar y wal y tu cefn iddo. Roedd pobman yn troi. Caeodd ei lygaid a'u hailagor. Griddfanodd. Yr oedd pob symudiad yn brifo – hyd yn oed agor a chau'i lygaid.

"Mi a' i i chwilio am Dad," meddai Elin. "Mae o yma fel arfer ar nos Sadwrn.

"Mae o 'di mynd ers cyn naw, yn ôl ei arfer," meddai Johnny.

"Cyn naw!" Roedd syndod yn llais Elin. "Fydd o byth yn cyrraedd adref cyn…" Tawodd. "Fedri di gerdded?" gofynnodd i Johnny.

Gwingai Johnny wrth geisio rhoi'i bwysau ar ei goesau, a suddodd ei galon wrth feddwl am y daith araf a llafurus a oedd yn ei wynebu.

"Fasa'n well i mi ofyn i rywun am fenthyg ceffyl dywad?"

"Mi fydda i'n iawn," meddai Johnny. "Rhowch 'chydig o help i mi i gychwyn."

Fesul cam a cham y cychwynnwyd ar y daith i fyny'r allt a arweiniai o dre Llangefni, a Johnny'n pwyso'n o galed ar ei frawd a'i cynhaliai ar un ochr, ac ar Elin a'i cynhaliai yr ochr arall.

Roedd braich dde Johnny wedi'i chlymu am wddf Hugh, a hwnnw'n ei dal yn dynn â'i law dde tra cydiai ei law chwith ym melt cefn trowsus ei frawd.

Roedd braich chwith Johnny am wddf Elin, a hithau'n gwneud ei gorau i ysgwyddo rhywfaint o'r baich o'i gario; ond gan fod Hugh yn dalach ac yn gryfach na hi, arno fo roedd y pwysau mewn gwirionedd.

Arhosent yn awr ac yn y man i gael hoe, a Hugh yn dawel fach yn rhegi'i frawd am ddifetha'i noson.

"Pam na fuaset ti'n dewis noson arall i bigo ar y soldiwrs 'na?"

"Wnes i ddim byd – dim ond gwrthod diod!"

"Gobeithio dy fod ti rŵan yn gweld cymaint o

anifeiliaid ydi'r criw sy'n cael eu denu i gwffio!" meddai Elin wrth Hugh. "Ac i feddwl dy fod ti'n ystyried ymuno hefo nhw!"

"Mae 'na 'fala drwg ymhob basgiad!"

Wrth deimlo pwysau'i frawd yn ysgafnhau tybiodd Hugh ei fod yn teimlo'n well.

"Fedri di gerddad dy hun rŵan?"

"Na fedra. Rhyw deimlo'n 'smwythach wrth roi mymryn mwy o bwysau ar ochr Elin."

Doedd symud mymryn i'r chwith yn ddim esmwythach i Johnny o gwbl, ond wrth geisio ailafael amdani ar ôl un seibiant, roedd ei law wedi cyffwrdd â meddalwch ei bron ac am eiliad aethai ei anafiadau yn angof ganddo. Mae'n wir mai cyffwrdd ag ochr ei bron yr oedd, ac roedd o ar dân eisiau gwthio'i law rownd a gafael yn iawn amdani, ond gwyddai na feiddiai wneud hynny.

Oedd Elin wedi sylwi tybed? Roedd o'n gobeithio, pe byddai'n sylwi, y byddai'n ymddangos yn rhywbeth damweiniol. Roedd un peth yn sicr, roedd ei law chwith wedi ffendio mangre feddal, esmwyth, ac roedd am ei chadw yno cyhyd ag yr oedd modd.

Am ychydig wrth gerdded am adref, dychmygai Johnny mai dim ond y fo ac Elin oedd yno. Y ddau ohonyn nhw'n cerdded yn hamddenol braf gan afael yn dynn am ei gilydd. Bob yn eilgam, symudai ryw fymryn bach ar ei law chwith, dim ond y cyffyrddiad ysgafnaf, ac ysai am i'w law fod o dan ddillad Elin yn hytrach nag arnyn nhw.

Oedd, yr oedd Elin wedi sylwi ar afaeliad Johnny, ac roedd hi'n ymwybodol iawn o'r symudiadau bychain a ddôi o du'r bawen gynnes a oedd wrth ochr ei bron. Ond doedd hi ddim yn poeni am hynny. Yn wir roedd hi wedi teimlo rhyw ias yn cerdded ei chorff pan afaelodd Johnny amdani gyntaf oll a gadael i'w law lithro am ei bron. Roedd hi wedi meddwl i ddechrau ei fod yn anymwybodol o hynny, ac mai lleddfu'i boen yn unig yr oedd o pan ddechreuodd bwyso mwyfwy arni hi; ond pan deimlodd anwesiad ysgafn ei fysedd, gwyddai'n wahanol.

Roedd ei meddwl hi fodd bynnag yn ôl yn Nhyrpeg Ucha. Ble ar wyneb y ddaear roedd ei thad? Gwyddai i sicrwydd na fyddai'n cyrraedd adref cyn un ar ddeg, neu hanner awr wedi un ar ddeg fel arfer, ar nos Sadwrn, ond eto dywedasai Johnny ei fod wedi gadael y Bull cyn naw 'yn ôl ei arfer'. Hanner awr da y dylasai ei gymryd i gerdded – efallai dri chwarter awr; ble ar wyneb y ddaear yr âi am ddwyawr?

"Mi fasa'n well i ni alw acw gyntaf," awgrymodd Elin wrth iddyn nhw nesáu at Dir Neb. "Mi gei di folchi a chyfle i gael panad cyn mynd am adra."

"Hishd!" sibrydodd Hugh. "Be 'di'r sŵn yna?"

Arhosodd y tri am ennyd, a rhoddwyd Johnny i bwyso ar y clawdd. Gwrandawodd y tri, a rhywle y tu hwnt i ffens orllewinol Tir Neb roedd yna sŵn tuchan.

"Hen ddafad?" awgrymodd Johnny.

Gwenu a wnaeth Hugh. Daeth blaen ei dafod at ei ddannedd a chwibanodd yn uchel ddwywaith. Peidiodd y sŵn.

"Sbia! Weli di nhw'n mynd?"

Rhyw ganllath draw gwelent ddau gysgod yn rhedeg tua'r coed. Roedd y cysgodion yn gafael yn nwylo'i gilydd.

"Welaist ti pwy oedden nhw?" holodd Hugh.

"Na. Roedden nhw'n rhy bell," atebodd Elin.

"Waeth i chi heb â gofyn i mi, mae fy llygaid i bron ar gau! Ond dau ar eu ffordd adre o'r dre siŵr o fod," meddai Johnny.

Unwaith eto, tawedog oedd Elin. Roedd pob math o gwestiynau a darluniau yn chwyrlïo trwy'i meddwl. Yr holl ffraeo a oedd yn digwydd rhwng ei mam a'i thad – ai dyna'r rheswm? Oedd gan ei thad ddynes arall? Oedd ei mam wedi darganfod hynny? I ble y diflannai ei thad am ddwyawr bob nos Sadwrn?

"Awn ni 'ta?" holodd Johnny. Roedd o'n dawel fach yn awchu am afael yn Elin eto.

"Tria gerddad dy hun, Johnny," meddai Elin. "Mi wnei'n iawn 'sti."

Ac felly y cerddwyd tua Thyrpeg Ucha, Johnny'n rhyw how hercian ar ei bwysau'i hun, ac Elin a Hugh bob ochr, ond led braich oddi wrtho.

Roedd clywed cliced y drws cefn yn cael ei chodi yn fiwsig i glustiau Johnny.

"Dowch i mewn!" meddai Elin yn dawel, gan feddwl efallai fod ei mam yn cysgu. Daeth llais o'r gegin fawr.

"Elin?" Doedd hi ddim. Daeth ei mam drwadd i'r gegin fach.

"Mae Hugh a Johnny hefo fi, Mam. Mae Johnny wedi cael codwm."

"Codwm? Wannwyl dad!"

Daeth Miriam Pritchard at Johnny ac edrych yn ofalus ar ei wyneb.

"Estyn ddŵr cynnas... a chadach i mi, Elin. A dyro'r cetl ar y tân i ni gael panad."

"Ble mae Dad?" Ceisiodd swnio'n ddidaro.

"Heb ddod adra eto. Peth rhyfadd na fuasach chi wedi'i weld o tua'r dre 'na?"

"Naddo."

Estynnodd Miriam ei bysedd at lygad Johnny.

"Codwm? Dyna ddeudist ti?"

"Anffawd," meddai Hugh.

"Dwy neu dair chwelpan, ddywedwn i!"

Edrychodd y tri ar ei gilydd.

"Mi ges i ffrae hefo soldiwrs yn y Bull, ac mi ges i gweir ganddyn nhw," eglurodd Johnny.

Ychydig yn ddiweddarach roedd Miriam wrthi'n golchi wyneb Johnny yn ofalus â'r cadach.

"Well i ti dynnu dy gôt. Wannw'l, sbia! Mae dy grys di'n waed i gyd! Yli, tynna fo. Mi gei di fenthyg un o grysa Evan."

Aeth ias arall drwy gorff Johnny pan deimlodd fysedd Miriam ar ei gnawd noeth. Daethai ei llaw yn groes i'w fynwes wrth geisio tynnu llawes ei grys.

"Fedri di godi dy fraich?"

Ysgydwodd Johnny'i ben.

"Ddim yn uchel iawn."

"Rho hi tu ôl dy gefn 'ta, mi dynna i dy fraich di drwadd o'r cefn." A phlygodd dros Johnny i dynnu'i lawes yn rhydd.

Clywodd Johnny'r bronnau meddal yn cyffwrdd cnawd ei fynwes, yna roedd Miriam a'r crys yn ei llaw yn sefyll o'i flaen. Roedd yna wên fechan yn hofran o amgylch ei gwefusau, yn union fel pe bai'n gwybod yn iawn beth roedd hi newydd ei wneud. Gwenodd ar Johnny fel pe baen nhw'n dallt ei gilydd i'r dim.

"Mi geith Elin orffan golchi dy wynab di, mi a' i i roi'r crys 'ma i socian yli."

Ymhen chwarter awr, roedd wyneb Johnny wedi'i olchi, ac roedd yn gwisgo crys gwyn glân. Roedd pob sip a gymerai o'r banad boeth oedd yn ei ddwrn yn artaith, ond roedd o'n dda hefyd.

"Rw't ti'n ddistaw iawn, Hugh?" meddai Miriam Pritchard.

"Barod am fy ngwely, Mrs Pritchard!"

"Fasa'n well i ni fynd, Hugh?"

Gwenu ddaru Miriam Pritchard. Gwenu, ac edrych unwaith eto ar Hugh, hogyn 'fenga Catrin Hughes, Cae Cudyll.

Pennod 3

SŴN GORDD neu forthwyl yn cnocio, cnocio, cnocio. Ar y dechrau roedd y sŵn i'w glywed o bell, yna'n graddol ddod yn nes, yna'n ymbellhau eto. Yn araf bach, sylweddolodd Johnny mai yn ei ben yr oedd y cnocio. Curiadau cyson. Cododd ei law at ei dalcen ac ochneidiodd. Symudodd ei law at ei drwyn, yna'n ôl at ei lygad. Gallai deimlo'r gwaed wedi ffurfio'n grachen. Ceisiodd godi, ond fedrai o ddim. Ceisiodd agor ei lygaid, ond roedd rhywbeth yn ei rwystro rhag gwneud hynny hefyd.

Clywodd rywun yn ystwyrian yn ei ymyl. Roedd cynfasau'n cael eu gwthio oddi ar y gwely. Clywodd grafiad matshen.

"Arglwydd mawr! Mae 'na lanast ar dy wynab di!" Llais Hugh ei frawd oedd hwnna. "Well i chdi drio molchi rhywfaint cyn i Mam ne' Dad dy weld ti."

"Faint 'di'r gloch?"

Edrychodd Hugh drwy'r ffenestr.

"Pump... chwech ella. Dydi hi ddim 'di g'leuo'n iawn eto."

Ceisiodd Johnny godi yn ei wely, a chyda help ei frawd llwyddodd i godi ar ei eistedd.

"Mae 'na waed wedi sychu rownd dy lygaid di, ac ar hyd dy wynab... aros am funud, mi a' i lawr i'r gegin i nôl powlennaid o ddŵr i chdi ga'l 'i olchi o."

Ymhen ychydig funudau roedd Hugh yn ôl yn y llofft gyda dŵr a chadach a lliain. Yn araf golchodd Johnny'r llanast oddi ar ei wyneb unwaith eto. Roedd y dŵr oer yn codi mwy o gur pen arno, ac fel y teimlai ei wyneb wrth ei olchi gwyddai cyn edrych yn y drych bod chwydd o dan ei lygad chwith a bod hollt yn ei wefus isaf. Roedd gwaed hyd y gobennydd a'r cynfasau hefyd.

Gorweddodd Johnny'n ôl a thaenu'r cadach gwlyb ar hyd ei wyneb. Gwasgodd ei oerni'n dynn i groen ei wyneb. Pam ar wyneb y ddaear na fuasai wedi cerdded oddi yno, a gwrando ar Ifan Perthi?

"Well i mi fynd i daflu'r dŵr yma, a thrio golchi'r lliain hefyd cyn i Mam eu gweld," meddai Hugh.

"Tyrd a jygaid arall hefo chdi, wnei di? Well i mi drio tacluso rhywfaint arnaf fy hun cyn codi."

"Weli di ddim capal heddiw, a pheryg mai fi fydd rhaid godro a mynd rownd y defaid cyn brecwast."

" 'Dach chi'n iawn yna?"

Gwelwodd Johnny pan glywodd lais ei fam y tu arall i'r drws. Gwnaeth Hugh ymgais i guddio'r bowlan a'r lliain. Diflannodd Johnny o dan gynfasau'r gwely.

"Yndan!" gwaeddodd Hugh.

Agorodd y drws a daeth pen Catrin i'r golwg.

"Pryd daethoch chi adra?"

"O'dd hi tua hannar nos… mi fuon ni'n Nhyrpag Ucha am ryw awr."

"Roeddwn i'n fy ngwely ers oria! 'Dach chi wedi deffro'n fuan iawn?"

Daeth llais Johnny o dan y cynfasau o'r gwely.

"Fi sy'n methu cysgu."

"Be sy'n bod?"

"Wedi bod yn cwffio neithiwr. Yn y Bull."

"Be?" Daeth Catrin gam i'r ystafell.

Tynnodd Johnny'r dillad oddi ar ei wyneb. Cododd

Catrin ei dwylo mewn braw. Daeth ato.

"Oes 'na rywbath wedi torri?"

"Dim ond fy malchder!"

"Be ddigwyddodd?"

"Rhyw soldiwrs yn mynnu 'mod i'n cael diod hefo nhw."

"Be ar wynab y ddaear oeddat ti'n ei wneud yn y Bull?"

"Dw i'n ddeg ar hugian, Mam!"

"Be ddeudith dy dad, wn i ddim!"

"Mi ddyweda i wrtho fo fy hun."

"Well i ti aros yn dy wely am awr neu ddwy'r bora 'ma. Mi 'rhosa inna adra o'r oedfa. Geith Hugh fynd."

Ddywedodd Hugh ddim oll. Roedd o'n ddigon bodlon mynd. Roedd y noson wedi'i difetha iddo fo ac i Elin. Nid ei syniad o o nos Sadwrn dda oedd hanner cario'i frawd dair milltir o'r dre adre. O leiaf câi rywfaint o gwmpeini Elin ar y ffordd i'r capel, ac oddi yno.

Erbyn naw o'r gloch, roedd Hugh wedi godro ac wedi bod o amgylch yr anifeiliaid ac roedd Tom wedi codi i'w gadair. Roedd Johnny newydd fod yn dweud wrtho am yr hyn a ddigwyddasai'r noson cynt.

"Be ddiawl dw i'n 'fagu?"

"Be oeddwn i i fod i'w wneud?"

"Peidio â mynd i'r Bull yn y lle cynta! Mi fasa hynny'n ddechra da!"

"Fedri di mo'i stopio fo i wneud hynny, Tom."

"Os ydi o'n troi ymysg gwehilion, rhaid iddo fo fod yn barod i ymddwyn fel un."

"Be fasach chi wedi'i wneud yn fy lle i?"

Gwenodd Tom.

"Mae un peth yn sicr i ti, mi fasa 'na fwy o lanast arnyn nhw nag arna i!"

"Wormyngar!"

"Peth calla i chdi'r bora 'ma ydi gorfadd ar dy wely hefo cadach oer ar yr wyneb yna. Gei di weld sut byddi di at amsar cinio."

"Mi 'rhosa inna adra hefyd, dw i'n meddwl," meddai Catrin.

"Sedd wag iawn fydd un Cae Cudyll bora 'ma felly?"

* * *

Roedd Elin yn teimlo dros ei mam. Am y tro cyntaf erioed, roedd hi'n cydymdeimlo â hi. Wrth sylwi arni'n golchi wyneb Johnny y noson cynt, roedd hi wedi sylwi pa mor wahanol roedd hi i'r Miriam arferol. Roedd yna dynerwch, roedd yna bryder, ac roedd yna fwy o hwyl yn perthyn iddi. Tybed ai presenoldeb rhywun ar wahân iddi hi a'i thad oedd yn gyfrifol?

Cofiodd Elin am y pryd bwyd a rannwyd â Hugh a Johnny ychydig ddyddiau'n ôl. Roedd ei mam i'w gweld yn wahanol y tro hwnnw hefyd. Roedd fel pe bai dieithriaid yn dod â chwa o awyr iach i'w bywyd.

Wyddai Elin ddim faint o'r gloch y daethai'i thad adre. Roedd hi a'i mam wedi hen fynd i'w gwlâu, ond roedd o fel 'deryn wrth y bwrdd brecwast.

"Sut hwyl gawsoch chi ddoe?"

"Mi fuon ni'n gwrando ar John Williams Brynsiencyn yn mynd trwy'i betha..."

"Glywis i ei fod o'n y dre."

"Welaist ti mo'r ffeit?" holodd Miriam.

"Ffeit? Pa ffeit?" gofynnodd Evan.

"Mi fuo rhaid i Hugh a finna gario Johnny'n ôl yma neithiwr ar ôl i soldiwrs ymosod arno fo."

"Johnny?"

"Yn y Bull." Gwyliai Elin ei thad.

"Chlywis i ddim. Be ddigwyddodd?"

"Trio hwrjio cwrw ar Johnny oeddan nhw, fynta'n gwrthod..."

"Wannw'l!"

"Mi fuon ni'n chwilio amdanach chi..."

"Mi fydd ei ben o'n cnocio'r bora 'ma," meddai Miriam. "Roedd o wedi cael un neu ddwy slap go hegar i'w lygad."

Daliai Elin i edrych ar ei thad. Damiai Miriam am droi'r stori i gyfeiriad arall. Roedd hi wedi meddwl y byddai'i thad yn ceisio rhoi cyfrif o'i hunan. Ond ar drywydd arall yr aeth yntau hefyd.

"Be ddeudith Tom? Mae'n siŵr na wyddai o fod Johnny'n ll'meitian hyd yn oed?"

"Ac mi dorrith galon Catrin! Hitha'n ddynas mor agos i'w lle."

Y munud y llefarodd Miriam y geiriau hynny, cafodd Evan y teimlad annifyr ei fod wedi'i gornelu. Pan gododd ei olygon am eiliad fe sylweddolodd fod ei wraig a'i ferch yn edrych arno. Roedd o'n teimlo'r gwrid yn codi i'w ben, a dyna pam y pesychodd yn ffyrnig, fel pe bai wedi llyncu rhywbeth.

Pan gododd i nôl llymaid o ddŵr, edrychodd y fam a'r ferch ar ei gilydd. Un edrychiad am un eiliad. A dyna pryd y synhwyrodd Elin fod yna ryw fath o ddealltwriaeth rhwng y ddwy ohonyn nhw. Doedd hi ddim wedi sylweddoli tan rŵan, ond roedd y ddwy rywsut ar yr un trywydd a gwyddai fod rhaid iddi hi a'i mam gael cyfle i siarad.

Yn ôl ei harfer, nid aeth Miriam i'r oedfa, ond wrth wylio Elin ac Evan yn cerdded oddi wrth y tŷ roedd hi'n hymian canu. Am y tro cynta ers blynyddoedd teimlai fod ganddi ffrind yn y tŷ.

Doedd Elin ddim yn gweld rheswm o gwbl dros osgoi gofyn i'w thad yn blwmp ac yn blaen. A dyna a wnaeth hi, y munud yr aethon nhw o olwg Tyrpeg Ucha.

"Lle fuoch chi neithiwr?"

"Llangefni. Pam 'ti'n gofyn?"

"Yn y Bull?"

"Ia."

"Tan pryd?"

"Nes oedd hi'n amsar mynd adra."

"A phryd oedd hynny?"

"Hei! Be 'di hyn?"

"Mi fûm i a Hugh yn chwilio amdanach chi tua hannar awr wedi naw, ac roeddach chi wedi gada'l."

"Mi es i oddi yno'n gynnar."

"Mynd adra'n gynnar?"

Cafodd Evan ei orfodi i fod yn amddiffynnol. Am eiliad credai fod rhywun wedi'i weld o a Catrin yn Nhir Neb y noson cynt. Roedden nhw wedi clywed y chwibaniad ac wedi'i heglu hi oddi yno. Ai Johnny a Hugh ac Elin oedd yno? Oedden nhw wedi'u gweld?

"Mynd oddi yno, ddeudis i."

"I ble felly?"

"Rwyt ti'n bigog iawn hefo fi'r bora 'ma?"

"Oes gen i achos i fod?"

"Fydda i byth yn dy holi di ble byddi di'n mynd…"

"Fydda i ddim yn gneud dim o'i le!"

Fe ddaeth hynna allan heb iddi feddwl. Doedd Evan chwaith ddim yn disgwyl y fath gerydd. Faint oedd hi'n ei wybod?

"Be wyt ti'n 'feddwl?"

Difaru a wnaeth Elin yn syth ei bod wedi mentro

cyhuddo'i thad a hithau heb rithyn o dystiolaeth yn ei erbyn, ond petai o wedi'i hateb ac wedi dweud yn union ymhle y buodd o, byddai hynny wedi gwneud pethau'n haws. Fe benderfynodd roi heibio bod mor ymosodol, a cheisio'i holi mewn ffordd arall.

"Be sydd matar rhyngoch chi a Mam?"

Ysgwyd ei ben a wnaeth Evan.

"Pe medrwn i roi fy mys ar hynny, Elin fach, mi faswn i'n ddyn hapus."

"Rhaid bod yna rywbeth wedi digwydd?"

"Rydan ni wedi ymddieithrio'n arw..."

"Ond pam?"

Ysgwyd ei ben a wnaeth Evan am yr eildro. Osgoi ateb a wnaeth o mewn gwirionedd; efallai y byddai wedi bod yn llawer gwell iddo fo, Miriam, a'i briodas pe bai rhywun wedi ei holi, a'i orfodi i ateb y pethau hyn ynghynt.

Ond beth ar wyneb y ddaear oedd wedi peri i Elin gymryd y fath ddiddordeb ym mherthynas y ddau ohonyn nhw? Mae'n rhaid ei bod yn amau rhywbeth. Fyddai hi'r un mor agored wrth holi'i mam? Cysuro'i hun a wnaeth Evan nad oedd perthynas y ddwy mor agos â hynny.

Pan ddaethant i olwg Cae Cudyll, peidiodd eu sgwrs. Roedd Catrin allan ar y buarth ac, yn amlwg yn ôl ei dillad, doedd ganddi ddim bwriad o gwbl i fynd i'r oedfa.

"Dwyt ti ddim am y bregath, Catrin?" holodd Evan.

"Ddim bora 'ma," atebodd hithau.

"Sut mae Tom hiddiw?"

"Eitha, diolch. W't ti am fynd drwadd?"

"Am ryw funud bach 'ta."

Doedd Elin ddim yn siŵr a ddylai holi Catrin am Johnny. Oedd hi'n gwybod tybed? Y munud yr aeth Evan i'r tŷ fe ddaeth Hugh allan. Roedd yn ei ddillad gorau.

Gwenodd pan welodd Elin.

"Sut wyt ti?"

"Iawn."

"Mi ddyliat ti weld Johnny! Mae'i wyneb o fel pledran!"

Rhaid bod Catrin Hughes yn gwybod felly.

"Wnei di ddiolch i dy fam am neithiwr, Elin?"

Gwenodd Elin arni.

"Doedd o ddim traffarth 'chi…"

"Niwsans, oedd, ond dim traffarth!" ychwanegodd Hugh gan edrych yn slei ar Elin. "Hei! Well i ti alw ar dy dad neu welwn ni mo'r capal!"

*   *   *

Roedd Hugh yn gwybod beth oedd yn poeni Elin, ond doedd o ddim yn siŵr iawn sut i gychwyn y sgwrs. Ers gadael y capel a brysio adre o flaen pawb arall, prin yr oedd hi wedi dweud dau air wrtho. A thestun y bregeth oedd ar ei meddwl.

Doedd ryfedd yn y byd i'r gweinidog droi ei olygon tua ffosydd Ffrainc wrth bregethu, ac roedd o wedi bod yn llawdrwm iawn ar ei gyd-aelodau a oedd yn coleddu'r syniad bod hwn yn rhyfel cyfiawn.

Daethai hyd yn oed â chopi o'r *Genedl* i'w ganlyn, a bu'n dyfynnu adroddiadau llygad-dystion i rai o'r erchyllterau a ddigwyddasai ym merw'r ymladd. Roedd nifer o'r disgrifiadau'n graffig ac yn erchyll.

"Rwyt ti'n dawal iawn?"

"Sut w't ti'n disgwyl i mi fod?"

"Ac ystyried dy fod ti rŵan yng nghwmni dy annwyl gariad, mi faswn i'n disgwyl i ti wisgo gwên o leia!"

"W't ti'n disgwyl i mi wenu tra dw i'n disgwyl i ti ddeud

wrtha i dy fod ti'n mynd i gwffio yn y Rhyfel 'ma?"

"Ma'r Rhyfel yn ffaith, Elin."

"Dw inna'n ffaith hefyd! Neu ella ei bod yn haws gen ti anghofio hynny wrth feddwl fy ngadael i?"

"Nid mynd a'th adael di ydw i, Elin, jyst teimlo'r alwad i fynd…"

"Teimlo'r alwad! Rw't ti fel hogyn bach wedi mopio hefo tegan newydd. Chwara soldiwrs heddiw, Duw ŵyr be 'fory!"

"Elin."

Safodd Hugh o'i blaen ar y ffordd. Rhoddodd ei ddwy law ar ei hysgwyddau.

"Be bynnag ddigwyddith, 'ti'n gw'bod 'mod i'n dy garu di."

"Os oes gen ti unrhyw feddwl ohona i, ei di ddim i'r fyddin!"

"Ma' hynna'n annheg!"

"Ydi o?"

"Ydi, ac yn hunanol!"

"Mi gei di 'neud y dewis, felly."

"Dewis? Pa ddewis?"

"Mi gei di ddewis rhyngdda i a'r fyddin!"

"Elin!"

"Dw i o ddifri, Hugh. Gwna di dy ddewis. A phaid ti â meddwl y bydda i'n aros yn fa'ma fel rhyw ddoli glwt yn disgwyl amdanat ti, oherwydd fydda i ddim, a wna i ddim."

"Elin!"

"Chei di ddim hannar cerddad allan o 'mywyd i. Fe gei di aros neu fe gei fynd!"

"Elin! Aros!"

Ond ni wrandawai Elin arno. Dechreuodd redeg am adre. Roedd wedi cynhyrfu drwyddi. Fe'i synnodd ei hun ei bod wedi llwyddo i ddweud cymaint â hynna wrtho heb i'w theimladau fynd yn drech na hi, ond rŵan, châi o ddim gweld ei dagrau.

Arhosodd Hugh ger godre'r llwybr a arweinai tuag at Dyrpeg Ucha. Roedd ei geiriau wedi ei lorio. Doedd o ddim yn gwybod sut i ymateb iddi, a dyna pam na wnaeth redeg ar ei hôl.

Pan oedd o fwyaf angen ei chefnogaeth, roedd hi'n ei wrthod! A rhywsut, gwyddai Hugh mai dyma ddechrau'r diwedd rhyngddo fo ac Elin. Doedd ganddo ddim amheuaeth y byddai'n listio. Roedd o eisoes wedi gwneud y penderfyniad. Heb ddweud ei feddwl wrth bawb roedd o eto.

Bu'n sefyll ar waelod y llwybr yn synfyfyrio yn hir. Llais Evan a dorrodd ar ei fyfyrdod.

"Ble ma' Elin?"

Roedd Evan ar ei ffordd adre.

"Mae 'di mynd adre."

Ceisio cychwyn sgwrs yr oedd Evan.

"Be oeddat ti'n 'feddwl o'r bregath?"

"Unllygeidiog braidd yn toedd?"

"Hugh...?"

Ond roedd Hugh wedi troi ar ei sawdl ac yn cerdded tua Chae Cudyll. Cyn codi cliced y drws, ochneidiodd. Cystal iddo ddweud am ei fwriad wrthyn nhw rŵan ddim. Mi ddywedai wrth Johnny yn gyntaf – mi fyddai Johnny yn dallt.

* * *

"Tom! Dwed wrtho fo!"

Roedd Catrin bron â mynd i sterics pan glywodd.

"Mae o'n ddeunaw oed. Roeddwn i'n cwffio yn Affrica yn 'i oed o," oedd ateb ei gŵr.

"Tom!" Doedd Catrin Hughes ddim yn deall Tom o gwbl. Ers wythnosau roedd o wedi bod wrthi'n ei deud hi'n hallt am y Rhyfel. Wedi bod yn dadlau'n gyson yn erbyn Lloyd George, Kitchener, John Williams Brynsiencyn, a'r holl system recriwtio a oedd yn sugno hogiau ffermydd Môn i'r drin yn Ffrainc, a rŵan roedd o'n hwrjio'i fab ei hun i fynd! "Be ar wynab y ddaear sydd wedi dod drostat ti?"

"Dw i'n heneiddio, Catrin, a dw i'n callio."

Doedd hynna ddim yn swnio'n iawn, rywsut. Doedd o ddim yn swnio fel Tom. Oedd o wedi synhwyro bod y berthynas yn parhau rhyngddi hi ac Evan? Oedd o'n cysgu ar y nosweithiau Sadwrn hynny pan âi hi allan at Evan?

"Yn sydyn iawn, mae o'n rhyfel cyfiawn, yndi?"

"Be fedra i, na neb arall, 'i wneud i'w rwystro fo?"

Daeth Hugh drwadd. Yn ôl y distawrwydd a oedd yn yr ystafell, gwyddai Huw'n syth mai amdano fo yr oeddan nhw'n siarad.

"Waeth i chi heb..." dechreuodd.

"O leia mi rwyt ti'n cael mynd hefo bendith dy dad!" meddai Catrin yn goeglyd. Poerodd y geiriau olaf fesul un i gyfeiriad Tom. Yna trodd ar ei sawdl a chyda chlep ar y drws aeth allan i'r buarth.

Edrychodd Tom i gyfeiriad Hugh. Am eiliad, cyfarfu eu llygaid. Tom oedd y cyntaf i edrych i ffwrdd.

"Pam 'dach chi wedi newid eich meddwl?"

"Dydw i ddim wedi newid fy meddwl."

"Ond mi ddeudodd Mam..."

"Mae dy fam yn dewis a dethol be mae hi'n 'ddeud wrthat ti."

"Be 'dach chi'n 'feddwl?"

"Gofyn di hynny iddi hi."

"Dydw i ddim yn dallt!"

"Na finna chwaith. Mae hi'n un anodd iawn ei dallt ar brydia."

Roedd Hugh yn y niwl. Oedd ei dad yn dechrau drysu? Roedd o'n siarad mewn damhegion. Ei fam yn dewis ac yn dethol beth roedd hi'n ei ddweud? Beth oedd ystyr hynny? A beth oedd y newid meddwl a ddaethai dros ei dad?

Ysgydwodd Hugh ei ben.

"Dw i 'm yn eich dallt chi!"

"Be sy 'na i'w ddallt?"

"Y newid meddwl 'ma!"

"Dydw i ddim wedi newid fy meddwl! Rwyt ti wedi gwneud dy benderfyniad, yn do?"

"Do."

"Dyna fo 'ta. Be 'di'r iws i mi gega hefo ti na dadla?"

"Ac Elin? 'Dach chi wedi newid eich meddwl amdani hi hefyd?"

"Ma' hynny'n wahanol! Go damia chdi! 'Ti'n troi mewn cylchoedd ac ymysg petha nad w't ti'n 'u dallt!"

"Be 'dach chi'n 'feddwl?"

"Rw't ti'n union fel o'dd Evan Pritchard! Caru'r 'deryn er mwyn y nyth!"

"Peidiwch â siarad lol! Tydw i erioed wedi meddwl felly!"

"Dw i'n nabod Evan Pritchard!"

"Be sy a wnelo Evan Pritchard â hyn? Canlyn ei ferch o dw i, nid y fo!"

"Canlyn dy..." Brathodd Tom ei dafod. Ysgydwodd ei ben a chwifiodd ei law. "Dos allan. Dw i ddim am ddadlau 'chwaneg hefo ti. Gwna fel y mynni, dy fywyd di ydi o. Os w't ti isho gneud smonach o betha, pam dyliwn i boeni?"

Ac aeth Hugh allan ar ôl ei fam.

* * *

Drannoeth, roedd Johnny'n teimlo'n ddigon da i feddwl troi allan i ffensio. Deuddydd o waith, a byddai ffens Tir Neb wedi ei hadnewyddu. O leiaf, dyna amcan Johnny wrth iddo nesáu at Dir Neb. Cariai hanner dwsin o stanciau ar ei war a'i fraich chwith yn eu cadw rhag disgyn. Yn ei law dde roedd yr ordd a'r rhaw. Ond roedd gorffen y gwaith yn ddibynnol ar gael cymorth Hugh gyda'r weiar bigog. Bore neu brynhawn o waith oedd hi i ddau, ond perswadio Hugh oedd y broblem. Roedd hwnnw mor anwadal, a benben â'i dad y dyddiau yma.

Roedd Johnny wedi disgwyl i'w dad ffrwydro pan ddywedodd Hugh am ei fwriad i listio. Roedd hwnnw wedi derbyn y newyddion mor ddidaro â phe bai Hugh wedi dweud ei fod yn piciad i lawr i'r dre i nôl pwys o hoelion. Doedd hynny yn sicr ddim yn nodweddiadol o Tom Hughes. Onid oedd o wedi bod yn brygowthan ers wythnosau a misoedd yn erbyn y Rhyfel?

Oedd y dyn yn dechrau drysu? Peth arall a groesodd feddwl Johnny oedd gwrthwynebiad ei dad i Hugh ganlyn Elin. Roedd hynny eto mor annodweddiadol ohono. Doedd yr un ohonyn nhw wedi disgwyl y fath ymateb ffyrnig pan glywsai eu tad fod Hugh yn treulio amser yn ei chwmni.

Taflodd Johnny'r stanciau a'r ordd ar lawr a sythodd i 'stwytho'i gymalau. Torrodd dwll sgwâr un lled rhaw yn y ddaear. Wedi dewis stanc gosododd ei flaen llym yn y twll.

Gwthiodd ef mor bell ag y gallai i'r ddaear, a'i unioni. Yna estynnodd yr ordd. Poerodd ar gledr ei law a chododd yr ordd uwch ei ben. Trawodd frig y stanc a suddodd hwnnw ryw fodfedd i'r ddaear. Drachefn a thrachefn fe'i trawodd ef nes roedd troedfedd dda o'r golwg yn y pridd. Cyrcydodd a chaeodd un llygad. Cymharodd hwn â'r stanciau eraill. Oedd, roedd wedi ei osod yn union yn y rhes.

"W't ti'n well?"

Dychrynodd. Doedd o ddim wedi gweld na chlywed Elin yn cerdded llwybr Tir Neb tuag ato. Gwenodd.

"Dw i'n dŵad ataf fy hun. Dw i'n teimlo'n well, rŵan."

Oedodd fymryn cyn dweud y gair olaf. Craffodd Elin ar ei wyneb.

"Mae dy lygad di'n dal yn ddu."

"Gwella wnaiff hi o ddydd i ddydd."

" 'Di Hugh adra?"

"Ydi'r Wyddfa'n gaws?"

Gwenodd, a gwelodd Johnny res o ddannedd gwynion. Roedd Elin yn hogan ddel, ac roedd ei gwên yn gyrru rhyw hen deimlad i lawr ei asgwrn cefn. Y fo oedd wedi gwneud iddi wenu, a theimlai'n falch o hynny. Roedd o eisiau gwneud iddi wenu eto. Gwneud iddi wenu a chwerthin. Ond yn sydyn cymylodd ei hwyneb ac ymddifrifolodd.

"Ydi o 'di deud wrtha chdi?"

"Deud be?"

"Be mae o'n bwriadu'i 'neud."

"Joinio 'ti'n 'feddwl? Mi ddeudodd wrth Dad a Mam ddoe," meddai Johnny, a gwelodd hithau'n ysgwyd mymryn ar ei phen.

"Fedri di mo'i berswadio fo i beidio â mynd, Johnny?"

"Os na fedri di, fedar neb, Elin!"

"Dw i 'di methu, Johnny! Mae o fel trio chwalu niwl

hefo ffon. Mae o mor benderfynol, mor bengalad!"

"Mynd neith o 'sti..."

"Dyna s'gin i ofn, Johnny. Be 'sa rhywbath yn digwydd iddo fo?"

Roedd Johnny eisiau ei thynnu ato a gafael yn dynn amdani. Roedd o eisiau ei chysuro. Eisiau teimlo gwres ei chorff yn erbyn ei gorff o. Roedd o eisiau iddi hi deimlo c'ledwch ei gorff o yn lapio am ei meddalwch hi. Dyna pam y deudodd o, "Mi watsha i ar d'ôl di 'sti!" gyda gwên fach ar ei wyneb. Rhoddodd ei law ar ei braich a daeth ei llaw hithau i orwedd ar ei law yntau. Doedd o ddim yn siŵr beth i'w ddweud nesaf. Roedd o eisiau plygu'i ben i gyfarfod â'i phen hithau. Roedd o eisiau symud ei law yn araf oddi ar ei braich tuag at ei bron... ond roedd arno ofn. "Elin..." Dechreuodd ddweud rhywbeth mawr, ond yna, newidiodd ei feddwl. "Ma' lwc mul yn 'i ganlyn o i bobman! Fydd o'n iawn 'sti."

Yna, roedd yr eiliad fach a'r foment fawr wedi mynd. Gwenodd Elin arno, a pharatoi i fynd yn ei blaen.

Cododd Johnny'r ordd. Wrth iddo sythu, syllodd ar ben-ôl Elin wrth i honno gerdded oddi wrtho. Bu Johnny'n ei gwylio'n cerdded ar hyd y llwybr, yna'n troi i gyfeiriad Cae Cudyll, a cherdded nes iddi ddiflannu o'i olwg.

Safodd yno am rai munudau yn pwyso ar yr ordd. Gwibiai pob math o ddarluniau drwy'i feddwl, ac roedd o ac Elin ymhob un ohonynt.

* * *

Wedi cerdded rownd a rownd y dre am yn agos i awr, am y trydydd tro y prynhawn hwnnw fe'i cafodd Hugh ei hun yn sefyll y tu allan i'r swyddfa ymrestru yn Llangefni.

Craffodd eto ar y poster. Roedd Kitchener yn edrych arno fo. *'Britons! Your country needs YOU!'* Ac roedd y bys cyhuddgar yna'n pwyntio'n syth ato fo. *'Join your country's army!'* Edrychodd Hugh eto ar y llygaid o dan y cap pig gloyw. Roedd y llygaid hefyd yn edrych arno fo. Yn ei herio. *'God save the King'*. Roedd hyd yn oed mwstash Kitchener fel pe bai yn ei gyhuddo o oedi.

Symudodd Hugh draw eto at yr ail boster. Ar hwnnw roedd darlun o wraig ifanc a dau o blant yn edrych trwy ffenestr agored. Yn martsio oddi wrthi hi a'i phlant yr oedd nifer o filwyr. *'Women of Britain say "GO"!'* sgrechiai'r poster. Ac roedd y wraig ifanc yn sefyll yno'n ddewr yn gafael am ei phlant tra gwyliai ei gŵr yn gadael y dolydd gleision a'r gwyrddion goedydd.

Gwenodd fymryn wrth feddwl am Elin. Doedd y wraig ar y poster ddim yn annhebyg i Elin, ond bod hon wedi'i gwisgo'n grand ofnatsan. Fyddai Elin ddim hyd yn oed yn ystyried dweud 'Dos!' wrtho fo! Doedd hi ddim yn deall. Doedd hi ddim eisiau deall.

"Come in, lad!"

Doedd Hugh ddim wedi sylwi ar y drws yn agor. Gwelodd y wên ar wyneb y sarjant. Roedd gan hwn eto fwstash fel Kitchener.

"Just looking," atebodd.

"Aye! For the third time! Come in! Your country needs you."

Ac i mewn â fo.

Pan ddaeth allan gyda'r papur yn ei law, ochneidiodd Hugh ochenaid o ryddhad. Roedd yn union fel pe bai yna bwysau mawr wedi eu codi oddi ar ei ysgwyddau. Roedd o wedi gwneud ei benderfyniad, ac wedi gwneud hynny yn wyneb pob gwrthwynebiad. Ond ei benderfyniad o oedd o. Am unwaith yn ei fywyd, roedd o wedi gwneud rhywbeth drosto'i hun, a theimlai'n falch o hynny.

Doedd o ddim wedi deall fawr ddim o'r geiriau a oedd ar y papurau, ond fe wyddai un peth. Dim ond ychydig dros wythnos oedd ganddo ym Môn eto. Ymhen deng niwrnod byddai'n cymryd y trên i'r barics yn Kinmel.

Dychmygai ei hun mewn iwnifform smart, yn union fel mab Tresgawen. Ei fotymau a'i felt yn sgleinio yn yr haul, a'i 'sgidiau newydd yn gwichian fel moch wrth y tethi.

Dim ond un peth oedd ar ôl. Dweud hynny gartref, ac wrth Elin.

'Women of Britain say "GO"!' darllenodd unwaith eto cyn stwffio'r papur i'w boced a throi'i gamre tua Chae Cudyll.

Pennod 4

"MYND FYDD RHAID I MI, felly waeth i mi fynd o 'ngwirfodd ddim!"

"Ond does dim rhaid i ti, Hugh! Wyt ti ddim yn gweld, hogyn? Lecio'r syniad o fynd yn soldiwr wyt ti..."

"Waeth i chi heb, Mam, rydan ni wedi bod dros y tir yma o'r blaen, a waeth i chi roi'r ffidil yn y to ddim. Rydw i wedi penderfynu mynd."

"Fedra i ddim dy ddallt di! Na fedra, wir dduwcs, fedra i ddim. Rydw i wedi trio a thrio... Mae gen ti gartra, aelwyd, to uwch dy ben, teulu, gwaith... mae gen ti hogan dda yn Elin. Mae dy fywyd di'n agor o dy flaen di, a dyma ti'n lluchio'r cwbl i fynd i ganlyn... i fynd i ganlyn..."

Methodd Catrin Hughes gwblhau ei brawddeg. Roedd hi wedi trio'i gorau, Duw ŵyr, roedd hi wedi trio'i gorau i'w ddarbwyllo fo, ond roedd o'n styfnig fel mul.

Ond nid felly y gwelai Hugh bethau. Yn sicr roedd agwedd ei dad wedi bod yr hwb bach olaf y bu'i angen arno i benderfynu'n derfynol. Gan ei fod bellach wedi torri ei enw ar y papur listio, doedd dim pwrpas celu dim.

"Wythnos sydd gen i gartra eto."

"Beth?"

"Rydw i'n mynd i'r barics yn Kinmel ymhen wythnos."

"Huuuugh!"

Sgrech oedd hi. Sgrech a orffennodd yn floedd floesg. Ni cheisiodd Catrin Hughes ddal yn hwy. Cododd ei barclod at ei llygaid a dechrau wylo.

Cychwynnodd Hugh ati, ond newidiodd ei feddwl.
Doedd dim pwrpas. O leiaf fe fyddai'n gwneud ei dad yn
hapus! Aeth i'r gegin ato.

"Be sy matar ar dy fam?"

"Mam?"

"Ella 'mod i'n methu symud hefo'r hen goes 'ma, ond
does yna uffarn o ddim byd yn bod ar fy nghlyw i! Be sy
matar arni? Atab fi!"

"Dw i'n mynd mewn wythnos."

"I'r Rhyfal?"

"Ia."

"Ti'n mynd i drenio gynta gobeithio?"

"Dau fis yng Nghinmel."

"Gei di weld be 'di disgyblaeth wedyn, washi! Mi ddoi
di allan o'r fyddin 'na'n well dyn o dipyn nag yr ei di i
mewn iddi."

"Os do' i'n ôl yntê?"

"Dyna'r risg mae pawb yn ei gymryd wrth listio. Yn
enwedig adag rhyfal. Does gen ti ddim ofn, oes?"

Ysgydwodd Hugh ei ben.

"Wyt ti wedi gweld *Y Genedl* yr wsnos yma?"

"Naddo."

"Dyma i chdi bapur... er mai yng Nghaernarfon mae
o'n cael ei brintio!" ychwanegodd yn goeglyd. "Saith
tudalen ar y Rhyfal ynddo fo'r wsnos yma. Sbia ar y stori
yma! Gwranda rŵan... hogyn sy'n dweud ei hanes yma
yli... 'Yn sydyn disgynnodd ffrwydrbelen yn ein hymyl, a
dolefain calonrwygol o'n hamgylch, ac wele yr oedd pump
yn gelaneddau meirwon drylliedig'. 'Ti'n gweld y darlun?
Gwranda ar hwn 'ta. 'Chwythwyd ymaith ddwy goes un
o'r trueiniaid oddiwrth ei gorph, ac eto yr oedd efe'n fyw,
yn ymwingaw, ac yn ddigon ymwybodol i erfyn arnom

orphen ei ladd. Daeth un o'n swyddogion heibio ar ffrwst a throdd ac edrychodd ar y milwr druan. Roedd efe'n methu dal yr olwg arno, a thaniodd ergyd i'w galon i roi pen ar echryslonrwydd ei boenau. Gwasgodd ei ddannedd at ei gilydd a dwedyd wrthym, "Ow! gigeidd-dra dieflig"!' Fydd yna ddigon o fetel ynot ti, Hugh Hughes, i wneud hynna? Dyna fydd y maen prawf i ti."

"Pam 'dach chi'n dweud pethau fel hyn wrtha i?"

"Mi fedra i ddweud wrthat ti rŵan, mai methu wnei di. A wyddost ti pam? Am nad ydi bod yn soldiwr yn nhoriad dy fogail di."

"Ac mi roedd o ynoch chi, mwn?"

"Oedd, mi roedd o ynof i, ac mi fydda i'n diolch weithiau 'mod i wedi fy nghlwyfo pan ges i, neu Duw yn unig ŵyr pa bethau, na pha erchyllterau y baswn i wedi'u cyflawni…"

Doedd Hugh ddim wedi clywed ei dad yn siarad fel hyn o'r blaen. Roedd o wedi cymryd stans fel heddychwr yn ddiweddar, neu mi fyddai'n adrodd hanes ei ddyddiau fel milwr drwy adrodd ei straeon yn ddidrimins ac yn ddi-waed. Ceisiodd Hugh ddychmygu'i dad yn martsio i flaen y gad. Ei dad yn gweld milwr wedi'i chwythu yn ei hanner. Ei dad yn ei saethu trwy'i galon. Ei dad ar lawr wedi'i chwythu yn ei hanner, ac yntau uwch ei ben. Ei dad yn ymbilio arno i'w saethu'n farw. Fedrai o wneud hynny? Yn union fel ci'n rhoi'i wich olaf wrth i ffarmwr ffeind ei roi o'i boen, neu'r glec arswydus honno oedd i'w chlywed wrth necio iâr neu geiliog?

"Pan, ac os doi di adref, Hugh. Yr adeg honno fydd y prawf!"

"Dw i 'm yn dallt."

"Mi fyddi di wedi cael misoedd ar fisoedd o ladd. Bob

dydd! Lladd, lladd a lladd. Dyna'r cwbl weli di. Gwaed yn llifo fel afon. Darnau o ddynion ymhob man. Griddfan hogia diarth, a dy ffrindia di yn gorfadd yn aflonydd a'u perfadd a'u cyrff nhw wedi'u malu... Gwrando ar hynna am wythnosa ac wedyn mi fyddi di'n dod adref i dawelwch Môn. Mi ei di am beint. Ac mi fydd hi'n dawel. Mi fydd blas ac ogla'r hen gelanedd yn troi yn dy ben di. Ella yr ei di i ganol ffeit! A wyddost ti be? Nid troi dy gefn wnei di, ond ysu am osod dwrn yn wyneb rhywun, ysu am waed. Mi fydd y ci gwyllt ynot ti wedi'i ddeffro. Mi fyddi di'n ôl yn y ffosydd. Yn arogli ac yn blasu'r gwaed. A fydd y creadur truan a fydd yn teimlo blas dy ddwrn di'n rhwygo'i gnawd, fydd hwnnw ddim ond yn un arall. Un o filoedd. Fydd o'n cyfri dim. Yr unig beth fydd yn cyfri fydd ei waed o! Ogla'i waed o."

"Pam 'dach chi'n siarad fel hyn?"

"Am fy mod i wedi bod yna, rydw i wedi bod yn sefyll yn safn uffern, a chred ti fi, mae'n fil gwaith gwell gen i be ges i'n dâl am fy rhyfyg – sef caethiwed cadair mewn cornel! 'Taswn i'n ddyn rhydd allan yn fan'na mi fasa'r anifail ynof i wedi dod i'r fei erstalwm."

Doedd Hugh ddim yn deall hyn o gwbl. Roedd ei dad yn siarad mewn damhegion.

"Rydach chi'n diolch eich bod chi wedi'ch clwyfo?"

"Bu ond y dim i'r cyfan droi'n sgrech i mi."

"Sut hynny?"

Ochneidiodd Tom. Roedd hi fel pe bai codi'r atgof yn gwthio ewin blaenllym o dan groen briw ac yn plicio crachen frowngoch a thynnu gwaed. Rhwygo llinynnau'r asio unwaith yn rhagor.

"Mi fuo ond y dim i mi droi'n llofrudd, a hynny o fewn fy milltir sgwâr fy hun..."

"Wannwyl! Ddeudoch chi ddim o hynny o'r blaen?"

Cododd Tom ei law ac amneidio ar Hugh i fod yn ddistaw.

"Ddeudis i ddim am hyn wrth neb o'r blaen! Ond gan dy fod ti wedi gwneud dy benderfyniad, dydi hi ond yn iawn i ti gael gwybod be fedar ddigwydd. Newydd ddod adra o'r rhyfal oeddwn i, ac un noson mi welais i rywbeth nas dylswn i. Rhywbath a roddodd gyllell drwy fy nghalon i. Cymydog oedd y gŵr hwnnw, ac os clywodd rhywun erioed bregethu grymus am garu cymydog y fi oedd hwnnw. Roedd y dyn 'ma wedi meddwi, a fi, a 'mhwys ar fy ffon, a aeth â fo adra y noson honno. Roedd pob cam o'r ffordd yn brifo, ond doedd y boen yn fy nghoes i yn ddim o'i gymharu â'r hyn oedd y tu mewn i mi. Wrth groesi ei fuarth, bu ond y dim i mi daflu fy ffon, gafael mewn picwarch, a'i phlannu hi yn ei gefn o. Dyna a wnaeth rhyfel i mi. Roeddwn i wedi blasu gwaed unwaith eto. Yr un gwaed ag a oedd yn llenwi fy ffroenau i, ac ar flaen fy nhafod i yn nyffryn Coplas. Wyddost ti, Hugh, mi gym'rodd hi ganrifoedd i'n cyndadau ddadwylltio'r hen diroedd yma, ac mi gym'rodd hi ganrifoedd wedyn i'n dadwylltio ninnau. Ond mi ddaru blwyddyn o ryfela ddifetha'r holl ganrifoedd yna i mi."

"Be wnaeth y dyn yma i chi?"

Ysgydwodd Tom ei ben.

"Fedra i ddim deud wrthat ti, Hugh. Rydw i'n gobeithio y ca i'r gras i fynd â hynna i'r bedd hefo fi."

"Ond er gwaethaf hyn, mi rydach chi'n fodlon i mi fynd i'r Rhyfal?"

Cododd Tom ei 'sgwyddau.

"Rydw i'n hen erbyn hyn, Hugh. A dydi unrhyw beth a ddyweda i ddim yn cyfri llawer i ti, yn nac ydi?"

"Nid dyna ydi o..."

"Yr unig beth rydw i'n ei obeithio yw na fydd o yn dy natur di i blannu picwarch yng nghefn neb pan ddychweli di."

Doedd Hugh erioed wedi gweld y wedd hon ar ei dad o'r blaen. Doedd o erioed wedi ei glywed yn siarad fel hyn, a doedd o ddim yn siŵr rŵan ai mynd dan fendith neu felltith ei dad a wnâi.

Roedd ei fam wedi dod ati'i hun pan aeth Hugh o'r gegin ac am y buarth.

"Be ddeudodd o wrthat ti?"

Ysgwyd ei ben a wnaeth Hugh. Roedd o fel dyn mewn penbleth.

"Ddaru o ddim trio dy ga'l di i newid dy feddwl?"

"Na."

Ysgwyd ei phen yn drist a wnaeth Catrin Hughes hithau. Beth oedd wedi digwydd i deulu Cae Cudyll? Tom wedi troi'n od, a Hugh yn listio i fynd i'r Rhyfel. Ac yna cafodd y teimlad annifyr mai ei bai hi oedd hyn i gyd. Roedd y teulu'n araf ddadfeilio, ac arni hi yr oedd y bai! Petai hi wedi ffrwyno'i nwydau ac wedi cadw'n ffyddlon i Tom, a fyddai pethau wedi bod yn wahanol? Ond roedd gan Tom ei amheuon erbyn hyn, fe wyddai Catrin hynny. Roedd o wedi cadw'r cyfan dan glo am ddeunaw mlynedd, a rŵan wedi'r holl amser, roedd o wedi penderfynu dweud rhywbeth.

Os oedd Tom yn mynd i'w herio eto, a oedd hi'n mynd i ymateb iddo neu gadw'n dawel? Penderfynodd mai ei wynebu a wnâi. Ond roedd hi'n haws dweud na gwneud. Gwnaeth ddwy baned o de, ac aeth i'r gegin at Tom.

Esmwythodd ei glustogau.

" 'Ti isho smôc?"

Ysgydwodd ei ben. Estynnodd hithau'r gwpan iddo, yna eistedd wrth y bwrdd gyferbyn ag o.

"Be ddywedaist ti wrth Hugh?"

"Dim byd o bwys."

"Doedd o ddim yr un un yn dŵad allan o 'ma ag a oedd o'n dod i mewn!"

"Rhamant ydi rhyfel iddo fo."

"Fel'na roedd o i chditha hefyd!"

"Nid cymryd rhyw chwiw yn fy mhen wnes i!"

"Dw i'n casglu na wnest ti ddim ceisio'i rwystro fo?"

Ysgydwodd Tom ei ben. Llyncodd Catrin ei phoer cyn gwthio i'r dwfn.

"Wyt ti eisiau i mi ddeud wrthat ti pam na wnest ti geisio'i rwystro?"

Edrychodd Tom ar Catrin. Roedd yna grac wedi dod i'w llais hi, ond doedd o ddim am wneud pethau'n haws iddi.

"Dwed wrtha i."

"Am dy fod ti'n cario rhyw hen syniad gwirion yn dy ben am rywbeth a ddigwyddodd ddeunaw mlynedd yn ôl!"

"Gwirion?"

"Dy fab DI ydi o, Tom! Dy gig a dy waed DI! NI pia fo, Tom! A dwyt ti'n gwneud un dim i fy helpu i i'w amddiffyn o!"

Waeth pa ddadl y byddai Catrin yn ei defnyddio i'w berswadio, roedd Tom wedi penderfynu na fyddai'n meddalu dim. Cystal iddo fo a Catrin wynebu rhywbeth y dylsen nhw fod wedi'i wynebu flynyddoedd ynghynt.

"Wyt ti wedi edrych arno fo o ddifri, Catrin?"

"Be sy'n dy feddwl di?"

"Edrych arno fo er mwyn Duw! A dwed wrtha i wedyn nad Evan Tyrpeg Ucha weli di! Yn ei wedd o, yn ei edrychiad o, yn ei lais o!"

"Tom!"

"Ac mae o'n canlyn ei hanner chwaer ei hun! Llosgach ydi peth felly!"

"Tom!"

"Waeth 'ti heb na gweiddi arna i, Catrin. Rydw i wedi troi a throsi'r hen betha 'ma yn fy meddwl ers blynyddoedd a heb ddeud dim, ond wir i chdi, fedra i ddim llai na chredu erbyn hyn mai bendith i ni ydi'r Rhyfal 'ma!"

"Rydw i'n deud wrthat ti, Tom, chdi pia fo! Mi ddyliwn i wybod!"

"Ac mi rydw inna'n gwybod be welis i!"

Rŵan, fe aeth pethau'n drech na Tom. Cododd ei ddwylo i'w wyneb a dechreuodd wylo. Roedd yn union fel petai rhwystredigaethau'r blynyddoedd wedi cronni y tu mewn iddo ac yntau heb gael y cyfle i ollwng stêm cyn heddiw.

Wyddai Catrin ddim beth i'w wneud na'i ddweud. Doedd hi erioed wedi gweld Tom fel hyn o'r blaen. Am unwaith roedd y c'ledi a'r surni a'r oerni wedi mynd, ac roedd ei chalon yn gwaedu drosto. Aeth ato a chyrcydu o'i flaen.

"Tom?"

Ysgwyd ei ben a wnaeth Tom.

"Mae'n rhy hwyr, rŵan, Catrin."

"Dydi hi ddim rhy hwyr i Hugh!"

"Mae'n rhy hwyr, Catrin."

* * *

Doedd Hugh ddim wedi gweld Elin ers bron wythnos. Arferent gyfarfod yn rheolaidd toc wedi cinio yng nghyffiniau Tir Neb, ond er i Hugh ymlwybro tuag yno bob dydd am bum niwrnod, doedd dim golwg o Elin.

Dyna pam y penderfynodd fynd i fyny i Dyrpeg Ucha.

Croeso digon oer a gafodd ganddi yn y drws.

"Rwyt ti'n cofio lle dw i'n byw felly?"

"Dw i wedi bod yn Nhir Neb bob dydd…"

"Well i chdi ddod i mewn."

"Be am fynd am dro?"

"I ble?"

"Rhywle…"

"Aros i mi ga'l deud 'mod i'n mynd 'ta."

Digon tawel fu'r cerdded i lawr y llwybr o Dyrpeg Ucha. Wedi mynd o olwg y tŷ, rhoddodd Hugh ei fraich amdani.

"Chei di ddim cyffwrdd ynof i!"

"Elin!"

"Dw i o ddifri, Hugh! Mae'n amlwg nad oes gen ti feddwl o gwbl ohona i na 'nheimladau."

"Dydi hynna ddim yn wir!"

"Pam wyt ti'n mynd 'ta?"

"Elin! 'Dan ni wedi bod dros hyn o'r blaen."

"A dwyt ti ddim wedi fy ateb i!"

Ysgydwodd Hugh ei ben. Ceisodd ddilyn trywydd arall.

"Petai yna rywun yn dy fygwth di, rwyt ti'n gwybod y baswn i'n dy amddiffyn di?"

"Gwnaet gobeithio."

"Yn union fel yr oeddwn i'n fodlon amddiffyn Johnny pan gafodd o gweir yn y Bull?"

"Nid ei amddiffyn o roeddat ti isho'i wneud, Hugh, ond talu'n ôl i'r rhai a roddodd gweir iddo fo!"

"Yr un fath yn union ydi o, Elin. Ac os na rown ni gweir iawn i'r Jyrmans yn Ffrainc, mi ddôn nhw drosodd yma a chymryd popeth. Waeth i mi dy amddiffyn di yno, na disgwyl iddyn nhw ddod yma."

"Mae 'na rywun wedi bod yn stwffio lol i dy ben di!"

"Pam na fedri di ddallt, mai rhywbeth dw i'n 'deimlo sy'n iawn ydi hyn? Mae 'na rywbeth y tu mewn i mi sy'n dweud mai dyma'r peth iawn i'w wneud. Mae o'n deimlad cry' y tu mewn i mi!"

"A beth am fy nheimladau i?"

" 'Tasa gen ti deimladau cry' am r'wbath faswn i ddim yn sefyll yn dy ffordd di."

"Mae gen i deimladau atat ti, Hugh! Ac mi rwyt ti'n sefyll yn ffordd y rheini! Arglwydd, mi rwyt ti'n diystyru fy nheimladau i er mwyn mynd yn lartsh i gyd i chwara soldiwrs!"

Doedd yna ddim pwrpas iddo ddadlau. Roedd ganddi ateb iddo bob tro, a hi oedd yn mynnu cael y gair diwethaf. Bu'n ddistaw am ennyd cyn estyn bys at ei thrwyn.

"Be am anghofio'r Rhyfal a mynd am dro?"

Cododd ei llaw a gwthiodd ei fys oddi wrthi. "Na!"

Daeth y bys yn ei ôl.

"Cerddad at Dir Neb? Mynd i'r tŷ gwair?"

"Na!"

Dechreuodd Hugh gerdded oddi wrthi. Am eiliad, holodd ei hun beth ar wyneb y ddaear a ddaethai drosto? Doedd Elin ac yntau ddim wedi caru ers pythefnos bron! Roedd pob cyfarfyddiad yn troi'n ffrae, ac Elin yn cerdded adre'i hun yn crio. Ond doedd hi ddim yn mynd i gael y trechaf arno. Dychwelodd ati.

"Mi rydw i'n gadael ddydd Llun, yn syth ar ôl cinio. Os wyt ti isho, pam na ddoi di draw acw ddydd Sul?"

"Dydd Llun!"

"Rydw i'n mynd i'r barics yng Nghinmel am ddau fis i drenio."

"Ers pryd w't ti'n gwybod?"

"Ers 'chydig ddyddiau."

"A rŵan 'ti'n dweud wrtha i?"

"Dw i wedi cerddad at Dir Neb bob dydd ers dydd Llun yn gobeithio dy weld di! Arglwydd, mi rwyt ti wedi gneud y dyddia dweutha 'ma'n uffern i mi fel mae hi!"

"Y fi! Y fi wedi gwneud dy fywyd di yn uffern?"

Y tro yma, y fo a droes ymaith a dechrau cerdded am adref. "Os wyt ti isho 'ngweld i cyn i mi fynd, tyrd draw ddydd Sul! Cofia. Dydd Sul!"

Yna, roedd o wedi mynd. Wedi mynd, a gadael Elin i lithro yn un swp i'r llawr yn ysgwyd i gyd.

* * *

Doedd Miriam ddim wedi dweud gair wrth Evan ers dyddiau. Doedd o ddim wedi gofyn iddi beth oedd yn bod y tro yma. Tybed oedd o'n amau neu'n gwybod?

Rŵan roedd pob math o ddarluniau'n gwingo a gwibio trwy'i meddwl. Catrin Hughes! Roedd hi wedi dod i gasáu Catrin â chas perffaith. Hon oedd wedi hudo'i gŵr. Roedd hi wedi edrych ac edrych ar Hugh Cae Cudyll, a delw Evan oedd arno. Fedrai o ddim gwadu hynny! Ond pryd? Pryd y bu Evan a Catrin Hughes yn... yn ffwcio?

Ych a fi! Roedd o'n hen air atgas, ond yn gweddu i'r amgylchiad yma i'r dim. Ffwcio y buon nhw. Ym môn clawdd yn rhywle siŵr o fod. Tra oedd Tom yn y Rhyfel? Ie! Nage! Doedd y dyddiadau ddim yn gwneud synnwyr. Ar ôl i Tom ddod adref mae'n rhaid.

Yna cofiodd y noson honno pan ddaeth Tom ag Evan adre'n feddw fawr. Roedd yna rywbeth yn llygaid Tom y noson honno. Roedden nhw fel llygaid anifail gwyllt. Doedd o ddim wedi dweud dim. Dim ond troi ar ei sawdl a mynd adref gan adael Evan yn pwyso'n drwm arni hi yn y drws.

Ond roedd popeth yn iawn rhyngddyn nhw yr adeg honno. Roedd hi'n disgwyl Elin. Gwenodd wrth gofio Elin yn faban bach. Roedd hi wedi dod â llawenydd i'r aelwyd.

A rŵan. Rŵan! Dduw mawr! Fe sylweddolodd yn sydyn. Os oedd ei amheuon hi'n iawn... Roedd Elin a Hugh yn... Roedden nhw'n hanner brawd a hanner chwaer! Beth os oeddan nhw'n ffwcio?

Yna troes ei meddwl yn ôl at Evan. Ai i'r Bull yr âi Evan bob nos Sadwrn? Roedd o'n mynd yno ers blynyddoedd. Beth os mai mynd i gyfarfod Catrin yr oedd o bob nos Sadwrn? Doedd bosib! Na! Roedd yna ogla diod arno fo. Rhaid ei bod hi'n methu'n o arw, ond eto, beth am Hugh?

Clywodd y drws cefn yn agor.

"Elin?" gwaeddodd.

Dim ateb.

Aeth i'r gegin. Roedd Elin yno ac ôl wylo yn fudramlwg ar ei hwyneb.

"Be oedd gynno fo i'w ddweud?"

"Mae o'n mynd ddydd Llun."

"Mynd? Mynd i ble?"

"I'r barics yn Kinmel am ddau fis, wedyn... wedyn i Ffrainc am wn i."

"Ella mai dyna'r peth gora 'sti."

Doedd Miriam ddim yn credu iddi ddweud hynna, ond yn dawel fach mi wyddai pam y dywedodd y fath beth.

"Y peth gora? Sut medrwch chi ddeud hynna?"

"Ma'n well ei weld o'n mynd o'i wirfodd, na mynd dan orfodaeth."

"Nac ydi ddim! O leia mae'r dewis ganddo fo, a phan

gafodd o ddewis rhyngof i a'r fyddin, dewis y fyddin wnaeth o! Wna i fyth faddau iddo fo!"

"Pethau fel'na ydi dynion 'sti. Maen nhw'n troi fel cwpan mewn dŵr, a Duw ŵyr, mi ddyliwn i o bawb wybod!"

* * *

Erbyn amser cinio ddydd Llun, fedrai Elin ddim dal yn hwy. Er troi a throi popeth yn ei meddwl, fedrai hi fyth gyfiawnhau yr hyn a wnaethai Hugh, ond penderfynodd na châi fynd i ffwrdd heb iddi o leiaf ddymuno'n dda iddo. Beth a wnâi? Mynd i Gae Cudyll neu hofran o gwmpas Tir Neb i ddisgwyl amdano? Yn sydyn cododd.

"Rydw i'n mynd i lawr i Gae Cudyll," meddai wrth Miriam.

Cawsai blwc dieflig o euogrwydd. Wedi'r cyfan, hwn oedd diwrnod olaf Hugh gartref a hithau'n styfnig yn gwrthod mynd ato. Efallai nas gwelai eto am fisoedd.

Yn llawn bwriadau da, rhedodd yr holl ffordd i lawr yno. Roedd hi'n rhyfeddol o ddistaw ar y buarth, ac aeth at y drws cefn a churo arno. Cododd y gliced, agor y drws a gweiddi, "Hugh!"

"Tyrd i mewn!"

Clywodd lais Tom o'r gegin. Aeth drwadd ato. "Chwilio am Hugh roeddwn i..." cychwynnodd.

"Ma' Hugh 'di mynd!"

"Ond pnawn 'ma mae o'n mynd!"

"Bora 'ma, roedd o'n dy ddisgwyl di ddoe, 'ngenath i."

"Pnawn yma! Mi ddeudodd o..."

"Beth bynnag ddeudodd o, mae o wedi mynd ers bora 'ma. Mi ddaliodd y trên ddeg o stesion Llangefni."

"Na!"

"Do."

Doedd o ddim yn deall. Rhedodd Elin o'r tŷ. Roedd hi eisiau dianc, eisiau mynd i rywle. Sut medrai Hugh wneud hyn iddi? Mynd heb ddweud gair? Dweud celwydd wrthi? Wrth redeg o'r tŷ drwy'r buarth, gwelai Catrin Hughes yn dod i'w chyfarfod.

"Elin!" meddai Catrin Hughes.

Chymerodd Elin ddim sylw ohoni, dim ond rhuthro heibio iddi, a rhedeg yn ôl am adref.

Roedd Hugh wedi mynd. Efallai am byth. A doedd hi ddim hyd yn oed wedi ffarwelio â fo.

Gwelai Hugh yn ei lifrai a'i wn a'i fidog yn martsio tua'r ffrynt. Gwelai Hugh yn rhedeg at y gelyn. Roedd yna fwledi a darnau o fetel yn chwyrlïo trwy'r awyr a Hugh yn rhedeg at y gelyn. Roedd o'n llwyddo i osgoi pob un.

Ond mewn un ffos draw, ychydig ddegau o lathenni draw, roedd yna Jyrman yn anelu'n ofalus ato. Roedd o'n gweld y gŵr ifanc gwirion yma'n rhedeg tuag ato. Roedd o'n gweld y bochau cochion a'r gwallt golau. Roedd o'n gweld y corff cyhyrog yn llamu tuag ato, ac roedd ei wn wedi'i anelu'n ofalus at ben y milwr. Bang! Roedd y fwled yn sicr ei hanel. Chwalodd ei benglog a syrthiodd Hugh. Dyna'r darlun a ddôi ac a ddychwelai i feddwl Elin. Ei Hugh bach hi'n marw ymhell o gartref. Ymhell bell oddi wrthi a hithau ddim yno i'w ymgeleddu na'i gysuro.

*   *   *

Er gwell neu er gwaeth, roedd Hugh wedi cyrraedd Kinmel, ac roedd o yn yr un cwch â chryn wyth cant o hogiau eraill. Roedden nhw wedi dod yma o bob man, ac nid o Ogledd Cymru'n unig, ond o lannau'r Merswy hefyd. Am rai dyddiau, roedd Hugh yn difaru'i enaid iddo gytuno i ddod i'r fath le.

Yn gyntaf, doedd o erioed wedi dod ar draws cymaint o bobl mor frwnt eu tafodau ac yn ail, doedd o erioed wedi clywed cymaint o Saesneg, na chymaint o gasineb tuag at y Gymraeg. A hynny a arweiniodd at ei gaethiwo.

Ar barêd un dydd, roedd Hugh wedi'i ddal yn siarad Cymraeg gan swyddog.

"What is your name?"

"Hugh."

"Hugh what!"

"Hugh Hughes, syr!"

"That's better! And where does Hugh Hughes come from?"

"Shir Fôn, syr."

"Where? Say it in English, boy!"

"Anglesey, syr!"

"Anglesey?" Edrychodd y swyddog o'i amgylch cyn ychwanegu, "A lot of fucking sheep in Anglesey, eh?"

Chwarddodd amryw, er nad oedd Hugh yn deall pam.

"Yes, syr!" atebodd.

Roedd y chwerthin yn uwch, a'r swyddog wrth ei fodd.

"Speak Welsh, eh?"

"I do, syr!"

"I meant, do the fucking sheep speak Welsh, boy?"

Y tro hwn cododd ton uchel o chwerthin o blith y gweddill.

"No, syr!"

"Neither will you whilst you're in the army, son!"

"But a lot of the boys don't speak the English, syr."

Tawelodd y chwerthin ar unwaith. Roedd y rhan fwyaf

yn disgwyl i'r swyddog ffrwydro, ond o blith y Cymry fe
gododd murmur o gefnogaeth i eiriau Hugh.

Daeth y swyddog at Hugh a sefyll o'i flaen. Gwthiodd
ei wyneb o fewn modfedd i wyneb Hugh.

"You will not answer me back, boy! You will not
question my judgement, boy! And for your insolence, you
will not see this parade ground for five days! Follow me!"

Deuddydd yn unig o'i bum niwrnod y bu Hugh yn
gaeth. Ar yr ail ddydd fe'i hebryngwyd gan ddau filwr i'r
brif swyddfa.

Swyddfa foel oedd hi, gyda desg a dwy gadair a
chwpwrdd anferth yn llawn papurau. Suddodd calon
Hugh pan welodd pwy a safai o flaen y ddesg. Yn edrych
o dan ei guwch arno yr oedd y swyddog a'i rhoddodd dan
glo. Agorodd y drws. Gwaeddodd y swyddog "Ten-shun!"
a saliwtiodd wrth i'r Cadfridog Owen Thomas gerdded i'r
ystafell.

Cerddodd hwnnw'n syth at ei ddesg. Gafaelodd yn y
papurau a oedd ar y ddesg o'i flaen ac wedi bwrw cipolwg
brysiog arnynt trodd at y swyddog.

"Corporal Coy, I have read your report about Hughes."

"Yes, sir!"

Cododd y Cadfridog ei lais.

"Corporal Coy! Siarad Gymraeg hefo fi!"

"Sir?"

"I said, speak Welsh to me!"

"But I don't speak Welsh, sir!"

"That's insolence, Corporal Coy!"

"No, sir, honestly, I don't speak the lingo, sir!"

"According to your report, Hughes's words to you were,
and I quote 'A lot of the boys don't speak English'."

"Yes, sir."

"And you regarded that as... insolence?"

Bu Coy'n dawel. Gwyddai ei fod wedi'i gornelu, ond roedd yn ddigon o ddyn i gydnabod hynny.

"It seems I acted a bit harshly, sir."

Gwenodd Owen Thomas arno, a dweud mewn llais mwyn.

"You're a good soldier, Corporal Coy, but always remember, a leader does not alienate the men within his ranks! These men are volunteers, they are here of their own free will. They fight because they choose to fight. Train them hard, yes, but treat them fair."

"Yes, sir!"

Yna trodd at Hugh.

"Hughes!"

"Yes, sir!"

"W't ti'n fab i Tom Hughes, Cae Cudyll?"

"Yndw, syr."

Nodiodd Owen Thomas.

"Os byddi di hanner cystal dyn â dy dad, mi wnei'n iawn. Rŵan, dywad ti wrth yr hogia allan yn fan'na, os bydd yna unrhyw un, unrhyw un, yn cael cam am siarad Cymraeg, maen nhw i ddod yma yn syth ata i! Dallt?"

"Yndw, syr."

Estynnodd y Cadfridog ddalen o bapur oddi ar ei ddesg.

"Corporal Coy!"

"Yes, sir!"

"This is a directive from the War Office. It states that Welsh-speaking recruits have a right to use their language in the barracks and on parade. You will post it on the notice board in the Officers' Mess."

"Yes, sir!"

"You will also escort Hughes back to his quarters, and

say what you have to say to the Welsh-speaking recruits!"

"Yes, sir!"

"This matter is now closed."

"Yes, sir!"

Pan gaeodd y drws ar eu holau, cododd Owen Thomas a mynd at y ffenestr. Gwenodd. Roedd newydd weld Coy yn oedi i ysgwyd llaw â Hugh Hughes.

* * *

Bu'n fis caled o ymarfer i Hugh a'i gyfeillion newydd. Y 'gelyn' oedd rhesi ar resi o sachau wedi eu llenwi â gwellt. Treulient bob dydd yn ymarfer rhedeg at y gelyn gyda gwn a bidog, plannu'r bidog yn y sachau gan ysgyrnygu a gweiddi eu bodlonrwydd, cyn symud ymlaen at y sach nesaf. Treulid awr neu ddwy wedyn yn ymarfer saethu. Saethu, rhedeg, saethu, rhedeg nes roedd Hugh ar ddiffygio.

Wedi'r wythnosau arteithiol cyntaf, buan y pasiodd gweddill y ddau fis, a chafodd pob un ddewis mynd adref i fwrw'r Sul cyn cychwyn ar y daith hir ar y trên i lawr am dde Lloegr a chroesi i Le Havre.

Dewis aros yn y gwersyll a wnaeth Hugh, a mynd i dafarndai'r Rhyl yng nghwmni Corporal Coy.

* * *

Agorodd Catrin y llythyr, ac eistedd wrth y bwrdd i'w ddarllen.

Anwil Mam, Dad a Johnny,

Mi eiddwn yn landio yn Southampton prydnawn Sul ac yno tan haner wedi chwech. Ac mi fuon ar mor tan bump o'r gloch bore Llun. A phan eiddan yn teithio ar y mor mi gafon run gan Sumarine. Ond gyrhaeddasom cyrraedd Reave yn saffe. Ac yna mi eithon gyda train i Rouen. A cyrraedd yno tua 4 or cloch prydnawn ac yno fuom am 6 days. Ac mi dan ni mynd o fano i gyfeiriad trenches a cychwyn o Rouen tua wyth or cloch y nos ac yn gyraedd y Last Stattion tua 10 or cloch ar foreu sul ac gerddon tua 12 milltir o dan ffwl bag a blangett yn ychwanegol, Ac mi eiddan yn ymuno y 10th Batt. S.W.B. ag mi gefais i a fy gyfaill Owen a hefyd gyfaill Coy o'r un Plattoon. Mewn rhyw village yr ydan rwan ac mi fuon yno tua wythnos. Village Warloy oedd enw. Mi fu amser blin iawn tra yma trwy myned tua 8 milltir i weithio sef agor trenches or newydd ac mi eiddan mor agos i gelynion fel oedd rheid ini fynd yn nos a cyrraedd y Village tua hanner awr wedi pedwar yn bore ac felly am tua 4 noson. Ag yn wir mi oedd bwyd yn brin a dim arian yn y boced ac mi eiddan yn cysgu mewn yscibor heb na top coat na blangett a bron a starvio heb fawr o fwyd. Ac oddi yma ni eithon i bedwaredd trenches ac yno am 5 days a tra ymá mi gefais ngyru at Machines Gun i Headgwarters Team. Ac mi gaffon yru dipin bach ar wahan i Coy. Ac yn awr mi eiddan yn ymyl village arall ac mae hon wedi cael ei chwalu gan y gelyn a bobl y lle wedi gorfod mynd a gadael y cwbl fel yr oeddynt byw yno. Mi welais rhei o wartheg a lloia wedi gael ei lladd gan shells yno. Oedd lle hwn yn truenus yw weld. Mi ydan rwan yn trenches etto ac mae lle ofnadwy. Mewn lle peryglus. Wedi colli gimind a 31 heddyw rhwng lladd a glwyfo. Dai Jones, Petr a Ffrancis wedi lladd. Mi ydan yn cael trafferth mowr hefo bwyd tra'n trioi dwymno in hunan ac mae beryg i gelyn weld y mwg. Mae hi'n helbulus iawn arnai a wn i ddim am faint etto fyddwn yn dal y line.

Yr eithoch yn gywir ych mab, Hugh Hughes, yn Frainc.

Pennod 5

'ANNWYL HUGH...'

Edrychodd Elin ar y ddau air am y canfed tro. Wyddai hi ddim sut i ddechrau'i llythyr. Roedd yr wythnosau wedi llithro trwy'i dwylo a hithau'n drofun ysgrifennu ato ers tro ond hyd yma wedi methu. Erbyn hyn roedd y teimladau o atgasedd a deimlai ato wedi cilio, a hiraeth wedi cymryd eu lle. Roedd hi'n ysu am ei gwmni unwaith eto. Byddai'n gweld ei wyneb ac yn clywed ei lais bob awr o bob dydd, ac roedd yr euogrwydd a deimlai am beidio â mynd i'w weld y Sul olaf hwnnw yn dal i gorddi y tu mewn iddi.

Ceisiai ddychmygu beth roedd o'n ei wneud y funud hon? Oedd o'n eistedd yn rhywle'n meddwl amdani? Oedd o wedi'i glwyfo neu wedi'i ladd? Gallai fod yn gorwedd yn gelain oer y munud hwn. Aeth ias drwyddi. Sut byddai hi'n dygymod â hynny weddill ei bywyd?

Byddai'n dal i fynd i'r dre bob dydd Sadwrn ac yn cyfarfod rhai o'i ffrindiau am y prynhawn, ond pan fydden nhw'n troi am y Bull a'r tafarndai eraill i chwilio am eu cariadon neu i drio cael bachiad am y nos, yn ei hôl adref y deuai Elin. Yn ei hôl at y distawrwydd rhwng ei thad a'i mam. Weithiau i gael pwt o sgwrs gydag un ohonyn nhw pe bai'n lwcus.

Gwyddai fod ei pherthynas â'i thad wedi oeri cryn dipyn. Doedd hi ddim yn ei drystio mwyach. Byddai fe yn dal i weithio'n ddiflino o fore gwyn tan nos ar y fferm, ond byddai'n bywiogi trwyddo rywsut pan ddeuai'r bwrw Sul. Codai'n gynnar bob Sadwrn i gyflawni ei orchwylion cyn troi am y Bull yn y pnawn, ac ni ddôi adref, weithiau, tan oriau mân y bore. Byddai'r un mor siriol cyn mynd am y capel bob bore Sul. Doedd gan Elin ddim amheuaeth bellach mai dynes arall oedd yn mynd â'i fryd, ond pwy oedd hi? Ond doedd hi ddim haws â dyfalu. Dim ots pwy oedd y ddynes arall mewn gwirionedd; y ffaith oedd fod popeth erbyn hyn yn creu awyrgylch annifyr yn y cartref.

Roedd hi wedi ceisio mwy nag unwaith gynnal sgwrs â'i mam, ond i ddim pwrpas. Ceisodd egluro iddi'r euogrwydd a deimlai am fod Hugh wedi mynd, ond byddai Miriam o hyd yn dweud wrthi mai peth da oedd diflaniad Hugh o'i bywyd. "Fy nghamgymeriad i oedd mopio 'mhen a phriodi'n rhy ifanc! Paid ti â gneud yr un peth." Dyna'i geiriau.

Ymddangosai fod Miriam wedi ildio i'w thynged, a doedd hi ddim am wneud un dim i geisio newid cwrs ei bywyd.

Ceisiai Elin fod yn onest â hi'i hunan hefyd. Gwyddai na fu ei hymddygiad hithau yn ystod yr wythnosau diwethaf o ddim cymorth. Roedd hi wedi bod yn flin ac yn dawedog, ond o leiaf roedd ganddi hi ei rhesymau am hynny.

'Annwyl Hugh...' Darllenodd y geiriau eto. Beth fedrai hi ddweud wrtho?

Yna meddyliodd am y sgwrs a gawsai gyda Martha y dydd Sadwrn blaenorol. Roedd Martha'n bwriadu gwneud cais i fynd i'r Coleg Normal. Oni allai hithau wneud yr un fath?

Fe wawriodd arni y byddai hynny'n gyfrwng i ddianc o Dyrpeg Ucha. Dianc rhag ei thad, ei mam a'r bywyd a

oedd erbyn hyn yn ei llethu. Cododd ei phin ysgrifennu.
Gallai feddwl am ddechrau a diwedd i'w llythyr eto.
Ysgrifennodd,

> *Rydw i wedi penderfynu gwneud cais i fynd i'r*
> *Coleg Normal ym Mangor a chael fy hyfforddi i fynd*
> *yn athrawes. Mae yna lawer o fy ffrindiau wedi*
> *penderfynu gwneud hynny (gan gynnwys Martha)*
> *ac mae 'na fwy o leoedd i ferched yno er pan*
> *ddechreuodd y Rhyfel. Er nad ydi Bangor ymhell mae*
> *yna hostels arbennig i ferched yno rŵan, ac os ca i fy*
> *nerbyn mae'n debyg mai aros yn un o'r rheini y*
> *byddaf...*

Dychmygai Elin ei hun, yn ei hystafell ei hun, a dim
ond un gair a ddeuai i'w meddwl. Rhyddid!

* * *

Bwm. Bwm. Bwm. Trwy'r amser dyna'r unig sŵn a glywai
Hugh a'i gyd-filwyr. Bwm. Bwm. Bwm. Sŵn cyson y
gynnau mawrion o'r tu ôl iddynt yn tanio ac yna'r 'bwm'
mwy pan chwalai'r *shell* wrth ffrwydro ryw filltir neu fwy
y tu blaen iddynt. Os oedd y sŵn cyson yn fyddarol iddyn
nhw, sut tybed roedd hi ar y gelyn lle'r oedd y *shells* yn
glanio? Hyd yma, doedden nhw ddim wedi blasu gynnau
mawrion y Jyrmans, ond gwyddent oll mai mater o amser
a fyddai hi. Y bedwaredd neu'r bumed reng oedden nhw
y tro yma, ond roedden nhw'n mynd yn nes ac yn nes at
ffrynt y lein. Heno, o leiaf, roedd un noson arall yn
niogelwch cymharol y ffos yn ei aros.
Roedd y ffos yn dywyll ac yn damp ac roedd Hugh, er

ei fod wedi'i lapio'i hun yn dynn yn ei dop-côt, yn crynu gan yr oerfel. Roedd bron at ei bengliniau mewn mwd dyfrllyd, a'i unig obaith o ddwyn ychydig funudau o gwsg oedd swatio, a gwthio'i gefn i wal y ffos.

"Be weli di, Coy?" gofynnodd i'r Cocni a safai hanner ffordd i fyny'r ysgol gan rythu i'r gwyll.

"Uffar o ddim. Does 'na ddim byd yn symud."

Un da oedd Coy. Roedd o dros ei ddeg ar hugain, ac wedi bod mewn sawl sgarmes. Bron na chredai Hugh ei fod yn ei fwynhau ei hun. Siaradai a sgwrsiai â phawb, a cherddai i fyny ac i lawr y ffos pan nad oedd ar ddyletswydd.

Gwyddai Hugh y byddai'r nos yn hir, fel neithiwr, ac echnos a'r noson cynt, ond nid hynny a'i poenai. Yfory oedd y pumed dydd, a 'fory byddai'r gorchymyn yn dod i fynd dros y top a cheisio symud ymlaen at y ffos nesaf.

Roedd o'n dal i gofio wyneb a llygaid y Corporal Gayle. Roedd yna bythefnos, nage, dydd Iau oedd hi heddiw. Dechreuodd ailgyfrif. Roedd yna ddeunaw niwrnod wedi pasio ers hynny, ac roedd o wedi gweld llawer mwy o gyrff ac wynebau meirw er y diwrnod cyntaf hwnnw, ond roedd yr olwg ar wyneb ac yn llygaid Gayle wedi'i serio ar ei gof. Hwnnw oedd diwrnod ei gyrch cyntaf.

Newydd wawrio yr oedd hi, a chyffro wedi gafael yn y rheng ar ôl rheng o filwyr a oedd yn barod i ddringo'r ysgolion a cheisio ymladd eu ffordd at y gelyn. O'r tu ôl iddynt roedd y gynnau mawrion wedi dechrau tanio. Ddeng munud wedi i'r rheini ddechrau, fe ddôi'r gorchymyn i fynd dros y top.

" 'Sgin ti dân, Taff?" holodd Gayle ychydig funudau cyn eu cyrch cyntaf. "Jyst rhag ofn mai hon fydd fy ffag ola!"

Cyn iddo orffen ei smôc daeth y gorchymyn i fynd, a phan gododd y rheng gyntaf honno dechreuodd bwledi'r gelyn sïo heibio i enau'r ffos. Syrthiodd rhai yn ôl i'r ffos yn syth ar ben eu cyfeillion a oedd yn ceisio dringo'r ysgolion ar eu holau, ond os oedd gan unrhyw un amheuon ynglŷn â dringo, a wynebu'r gelyn, roedd anogaeth a gweiddi'r swyddogion y tu ôl iddynt yn ddigon i'w gyrru ymlaen.

Roedd Gayle ar frig yr ysgol yn barod i arwain pan ddaeth y gorchymyn ac roedd o ymhlith y cyntaf i fynd dros y top. Roedd Hugh y tu ôl iddo.

Yn y lled dywyllwch gwelai Hugh gryn filltir o dir gwastad o'i flaen a hwnnw'n dyllau byw. Roedd arogl anhyfryd yn llenwi'r lle. Cymysgedd o awyr y bore bach, arogl a ddeuai o'r mwg a godai o dyllau'r shells, a sawr y myrdd cyrff darniedig a oedd yn gorwedd yn llonydd yn y mwd a'r pridd ar Dir Neb.

Roedd Gayle yn rhedeg yn ei gwrcwd o'i flaen. Dilynodd Hugh ef. Roedd bwledi'n hedfan yn yr awyr uwch ei ben, ambell un yn bur agos. Yn awr ac yn y man edrychai Gayle yn ei ôl a gwnâi ystum ar y dynion i'w ddilyn. Yna, bob rhyw ugain llath, disgynnai ar ei hyd ar lawr i gael ei wynt ato. Ceisiodd Hugh weld yn union ble roedd y gelyn, a thybiai mai tua chwarter milltir draw, ble roedd y pwff o fwg glas yn codi bob yn awr ac yn y man. Ond ni fedrai fod yn siŵr. Erbyn hyn roedd yn dynn ar sodlau Gayle. Cododd hwnnw unwaith eto ar ei draed a throdd ei ben yn ôl ac amneidio ar y dynion i'w ganlyn, ond yn lle rhedeg yn ei flaen, syrthiodd yn ei ôl, ac eistedd ar lawr. Cododd ei law at ei glust, a gwelodd Hugh waed yn treiglo trwy'i fysedd. Edrychodd mewn syndod ar Hugh a dywedodd "O leia ga i fynd adref rŵan!"

"Gorwedd!" gwaeddodd Hugh arno, ac fel pe bai wedi deall ei orchymyn ufuddhaodd y corporal. Yn araf, ac ar ei bedwar, nesaodd Hugh ato. Estynnodd ei law tuag ato a rhoi pwniad iddo yn ei ysgwydd, ond doedd Gayle ddim yn symud. Roedd ei law yn dal ar ei glust, a gorweddai'n llonydd. Daeth Hugh yn nes ato. "Gayle!" Gafaelodd yn ei law a'i thynnu oddi ar ei glust, a dyna pryd y gwelodd yr olwg oedd yn llygaid Gayle. Roedden nhw'n grynion fel dwy soser ac yn agored led y pen, ond roedd Gayle mor farw â'r hoel. Pan welodd Huw'r clwyf, trodd ymaith a chwydodd ar lawr. Roedd bwled wedi mynd trwy glust y corporal ac wedi chwythu y rhan fwyaf o'i gorun yn gyrbibion. Dim ond hanner ei ben oedd ar ôl. Ond roedd o'n dal i edrych ar Hugh. Am ennyd wyddai Hugh ddim beth i'w wneud, ond gafaelodd yn dyner yn Gayle a'i gofleidio.

Sut y cyrhaeddodd ddiogelwch y ffos nesaf wyddai Hugh ddim. Roedd pob math o bethau wedi gwibio trwy'i feddwl. Meddyliai am ei dad a'i fam a'i frawd gartref yng Nghae Cudyll. Meddyliai am Elin, Elin annwyl. Rhoddai unrhyw beth am fod gyda hi yr ennyd hon. Beth ar wyneb y ddaear a ddaethai drosto'n listio? Eto, roedd o'n gwybod, os oedd i weld Elin eto, roedd yn rhaid iddo ddod trwy hyn. Roedd yn rhaid iddo fyw.

Cyrhaeddodd milwyr eraill ato. O weld gwaed Gayle ar ei iwnifform, tybient fod Hugh wedi'i glwyfo ac roedd wedi cael ei hanner cario a'i hanner llusgo gan eraill i ddiogelwch. Fe'i hyrddiwyd i'r ffos nesaf, i ganol y mwd, y gwaed a'r cyrff.

Roedd hi'n erchyll yno. Roedd y ffos yn llawn dynion a bechgyn. Roedd y dynion a'r bechgyn a safai dan eu pwys eu hunain ar wal y ffos yn ddianaf. Roedden nhw'n sefyll ac yn rhythu ar y nyth nadreddog wrth eu traed. Roedd y ffos yn llawn. Llawn dynion byw a marw. Llawn bechgyn byw a marw. Darnau o ddynion, darnau o fechgyn. A dynion a bechgyn yn ochneidio ac yn gweiddi mwrdwr. Dynion a bechgyn yn sgrechian a griddfan mewn poen. Dynion a bechgyn coch. Dynion a bechgyn a'u cnawd a'u gïau a'u hesgyrn yn fudrnoeth. Dynion a bechgyn yn dyheu am weld wyneb mam neu wraig neu gariad. Dynion a bechgyn mud, llonydd, yn gorwedd a'u pennau o'r golwg yn y mwd a'r dŵr a'r gwaed. Dynion a bechgyn llonydd na welent yr un wyneb fyth mwy. Dynion a bechgyn yn iwnifform Prydain Fawr, a dynion a bechgyn yn iwnifform yr Almaen. Efallai fod lliw eu dillad yn wahanol, ond yr un oedd lliw y mwd, yr un oedd lliw y gwaed, yr un oedd angerdd eu hochneidio a'r un oedd y distawrwydd a hongiai uwchben pob corff llonydd.

Roedd Hugh eisiau plygu i ymgeleddu rhywun, sibrwd gair o gysur yng nghlust rhywun ond fedrai o ddim. Yr unig beth a welai Hugh oedd llygaid Gayle. Roedd o'n ail-fyw'r profiad o weld y gwaed yn treiglo trwy'r bysedd. A'r ddau lygad yna yn edrych arno, ac yn gweld dim.

"Dy dro di rŵan, Taff," meddai Coy.

Rhaid ei fod wedi cysgu am hanner awr neu fwy. Roedd y shelio cyson wedi peidio. Nid oedd ond ambell daran yn rhwygo'r distawrwydd. Roedd Coy wedi disgyn o ben yr ysgol, ac amneidiodd ar Hugh i'w dringo. Deffrodd drwyddo. Roedd awr o wylio o'i flaen. Rhoddodd ei helmed ar ei ben, ac esgynnodd i ben yr ysgol yn araf. Gwthiodd ei ben heibio i frig y ffos. Roedd hi mor dywyll. Roedd Coy yn siarad eto.

"Weli di'r clwmp o goed yna, ychydig i'r chwith?"

Craffodd i'r gwyll, a phan ymgynefinodd ei lygaid â'r

tywyllwch, gwelai ryw filltir draw rimyn main tywyllach na'r tir.

"Weli di nhw?"

Gostyngodd Hugh ei ben. "Gwelaf."

"Fan'no byddi di nos yfory os byddi di byw!"

Aeth Coy yn ei flaen i egluro mai dyma'r pumed tro i filwyr Prydain ymosod ar y goedwig. Wedi ei chipio bedair gwaith, ac wedi gorfod ei hildio bedair gwaith.

"Ond fe'i cadwn hi'r tro yma! Mae'r tancs yn cyrraedd 'fory!"

Sut y gwyddai Coy hynny, ni wyddai Hugh.

"Dw i'n mynd am dro!" meddai. A chlywodd Hugh ef yn symud yn araf i fyny'r ffos. Sgwrsiai â hwn ac arall ar y ffordd, a phan glywodd Hugh ei lais yn distewi yn y pellter, trodd ei olygon yn ôl at lein y gelyn. Doedd dim byd yn symud yno. O bryd i'w gilydd, sgrechiai *shell* uwch ei ben a gwelai'i llwybr yn stribedu tua'r gorwel. Yna fflach a bwm anferth pan ffrwydrai. Yna tawelwch llethol eto.

Rhyw chwarter awr cyn diwedd awr ei wyliadwriaeth clywodd Hugh y grŵn y tu ôl iddo. Yn ara bach cynyddodd y sŵn.

"Y tancs!" llefodd Coy. "Mae'r tancs wedi cyrraedd!"

Mewn dim roedd y dynion yn y ffos yn gwbl effro ac yn siarad yn gyffrous. Lledodd y gair a'r rhyddhad fel tân gwyllt. Mi fydden nhw'n ymladd o'r tu ôl i'r tanciau yn hwyrach y dydd hwnnw!

* * *

Annwil Mam a Dad a Johnny,

Ers pan fuo fi'n sgwenni hwn or blaen yr wyf wedi bod yn yml y Germans ac fuo hi erioed mor agos i mi gael fy galw ymaith. Ar foreu Llun mi fuo'n shellio'n arw arnom yn galed am awr a hanner. Weleis i moni mor boeth arnaf ers pan yn France yma. Eiddan nhw'n disgin mor agos nes oedd ddaear yn disgin yn gafodydd fel eira ar fy nghefn Mi oedd mor galed arnaf nes eiddwn yn crynu fel deilen ac yn yr un modd yr eiddwn yn gweddio fel Ken Ceris ar fy mhenaglinnia. Ac mi gefais fy ngwrandaw ac fy amddiffyn trwy ddiolch am nerth a chysgod pan eidd hi'n ofnadwy arnei. Mi glwyfwyd llawer. A phan eiddem ni yn dechreu shellio mi eiddwn i ar pryd yn cario bachgen o Ddimbach ar fy nghefn ac oedd o'n griddfannu a gwingo a finna'n anodd ei gario am fod trench mor gul a bullets yn isal a shells yn ein dallu.

Fuon yma am 12 dydd ac rwan fod i gael 4 dydd o rest ond fydd hynny ddim tan yfory. Ond mae son fod ni'n agor trenches newydd erbyn daw America ir trenches. Miloedd ar filoedd ar y ffordd. Mi gefais wasanaeth Cymraeg etto gan Chaplain o Sir Gaernarfon a gweld Tom Charles Tabernacl. Mi eidd on edrach yn dda ond yn sydyn fuo rhaid ini ddod i trenches etto.

Mai fy mate Coy a minnau wedi dod trwyddi hefon gilydd ac yn mynd i gael parti yn Sir Fon rol gorffen yr helbul yma. Leia dan ni wedi dod yn saff drwyddi. Ond sydd gennai iw ddweud ein bod yn cael amser go lew well na llawer tro blaen. Eith rhywun i ddeud hynny wrth Elin a peidio dweud fel mae'n arw arnai.

Mae rhyfel yn erchyll, maen uffernol ar hogiau bob ochor yn marw a ddim rheswm. Chai ddim deud llawar am fod llythir cael i ddarllan ond chaplain sy'n darllen hwn am ei fod yn Gymraeg ac mai wedi dweud y ceith ei yrru. Hugh Hughes.

* * *

Erbyn canol pob prynhawn byddai tymer Tom yn newid. Byddai'r boen yn ei goes bron yn annioddefol, ac ni fedrai ganolbwyntio ar ei ddarllen pan fyddai felly.

Byddai'r *Genedl* yn dal i ddod i'w ddwylo'n wythnosol, ac er mai papur Caernarfon oedd *Y Genedl*, roedd Tom yn teimlo y câi well hwyl ar ddarllen adroddiadau'r papur hwnnw ar y Rhyfel nag unrhyw un arall, yn bennaf oherwydd neilltuai hwnnw weithiau chwe neu saith tudalen yr wythnos i'r Rhyfel, a byddai Tom yn dilyn ei hynt a'i helynt yn awchus.

Câi'r un pleser hefyd wrth ddarllen y mân hysbysebion.

"Sbia!" gwaeddodd ar Johnny un pnawn Sadwrn. "Dyma i chdi lwc! Ffarmwr o Lanfaglan isho deuddag acer dros y gaea i gadw anifeiliaid. Incwm taclus i ni!"

"Dad! Does gynnon ni ddim cae deuddeg acer yn sbâr!"

"Iwshia dy ben, Johnny! Cae Cudyll a Thyrpeg Ucha? Cae Haidd ni, a'u Maes Mawr nhw!"

"Os nad ydi Evan wedi penderfynu gneud rhywbath arall hefo fo. Ond rhaid cyfaddef, heb Hugh, does gen i ddim calon meddwl dechrau 'redig Cae Haidd pan ddaw'r gwanwyn."

Ychydig iawn y soniai Tom am Hugh. A phan fyddai eraill yn sôn amdano, rhyw dueddu i fynd i'w gragen a wnâi Tom. Fe fyddai'n gwrando'n astud pan ddôi llythyr gan y byddai hwnnw wastad yn rhoi darlun clir iddo o'r Rhyfel, ond llythyrau digalon oedd rhai Hugh gan amlaf.

Doedd o a Catrin ddim yn siarad nac yn sgwrsio mwyach. Holi ac ateb oedd pob sgwrs, ac roedd Tom yn fodlon cyfadde'n agored mai ei fai ef oedd hynny. Neu aiê?

Roedd Tom wedi bwrw'i feddwl yn ôl droeon yn ystod y misoedd diwethaf i'r noson honno pan fu rhaid iddo hebrwng Evan Tyrpeg Ucha adref. Mwya'n y byd y meddyliai am y digwyddiad, mwya'n y byd y dyfnhaodd ei amheuon ynglŷn â Hugh.

Erbyn hyn, roedd o bron yn bendant ei feddwl mai Evan oedd tad Hugh. Pan fyddai'n llwyddo i gael cyntun ambell brynhawn, byddai yn ddieithriad yn deffro'n sydyn iawn, gan dybied bod rhywun yn cnocio ar y drws gyda'r neges bod Hugh wedi ei ladd. A byddai'n gwenu cyn deffro.

Mi fyddai hefyd yn cael rhyw wefr weithiau wrth ddarllen yn uchel o'r *Genedl*. Roedd o'n gwybod yn iawn bod darllen yr adroddiadau yn gyrru iasau i lawr asgwrn cefn ei wraig.

"Gwranda ar hyn, Catrin. 'Rhuthr gyda'r bidog! 45,000 wedi eu lladd! 30,000 o Almaenwyr a 15,000 o Ffrancod.' Gobeithio nad oedd Hugh yn ymyl fan'no, yntê?" A byddai'n edrych yn slei bach ar y pryder a lenwai wyneb Catrin.

Dro arall mi fyddai'n darllen y disgrifiadau i Johnny, gan wybod y deuai Catrin i mewn pan fyddai ar eu hanner.

"Sbia be ma' hwn yn ei ddeud 'ta, Johnny! 'NAW MILLTIR O GYRFF!...roedd rhai o'r Germaniaid yn cymryd arnynt eu bod wedi marw ac yn cydorwedd â'r meirwon yn y ffosydd, ninnau'n gwybod am eu triciau yn gwthio bidogau i'w cyrff er mwyn eu clywed yn gwichian fel moch...' "

"Ac i feddwl bod Hugh ni ynghanol hynna!"

"Ei benderfyniad o oedd o, a neb arall!"

Ac er bod Catrin yn amau'n gryf pam yr oedd Tom yn ei rhoi trwy'r artaith ddyddiol hon, fentrodd hi erioed holi'i gŵr. Efallai fod ofn arni ei glywed yn sôn am ei amheuon yng ngŵydd Johnny.

"Dos i fyny i Dyrpeg Ucha, Johnny, i weld be mae Evan yn ei feddwl. Geith o alw yma ar ei ffordd o'r capal 'fory."

Bu ond y dim i Catrin ei atgoffa bod Evan yn y Bull bob dydd Sadwrn, ond brathodd ei thafod mewn da bryd.

Yna trawodd rhywbeth arall ei meddwl. O feddwl pa mor ddrwgdybus a llawdrwm yr oedd Tom ar Evan y dyddiau yma, peth rhyfedd ei fod yn gofyn iddo alw i'w weld drannoeth. Ond roedd hi wedi rhoi heibio ceisio dyfalu yr hyn a âi ymlaen ym meddwl Tom y dyddiau yma.

"Dim ots!" meddyliodd Catrin wrthi'i hun. "Mae'n ddydd Sadwrn!"

* * *

Diwrnod arall yn tynnu tua'i derfyn, a diwrnod arall o uffern. Dyna a âi drwy feddwl Miriam Pritchard wrth iddi estyn yr haearn o'r tân a dechrau smwddio'r fasgedaid o ddillad a oedd ar y bwrdd o'i blaen.

Roedd Evan wedi mynd i Langefni ers y bore – i'r Bull eto siŵr o fod – ac mi fyddai wedi cael boliaid arall cyn cyrraedd gartref. Dyna a wnâi bron bob dydd Sadwrn. Mynd i lawr i'r dre i siopa oedd ei esgus, ond byddai'n sicr o fod wedi taro ar hwn a'r llall ac wedi mynd am un bach sydyn cyn troi tua thre. Ond byddai yn ei ddillad gorau bore 'fory yn ôl ei arfer yn eistedd gyda'r saint yn y capel.

Beth oedd yn pigo Elin y dyddiau hyn, wyddai Miriam ddim. Roedd hi wedi bod â'i phen yn ei phlu ers i Hugh Cae Cudyll adael am y fyddin. Roedden nhw'n canlyn, fe wyddai hynny.

Eisiau dianc oedd arni hi! Rhoddai unrhyw beth am gael mynd am ychydig ddyddiau i Fangor neu Landudno, neu'n well fyth i Lerpwl. Teimlo daear gadarn o dan ei thraed yn lle caeau meddal Tyrpeg Ucha. Ond roedd hi'n sownd yma. Wedi ei dal fel llygoden mewn trap a'i bywyd yn llithro trwy'i dwylo. Gollyngodd yr hetar a'r crys am ennyd a theimlo'i bronnau. Roedd hi'n heneiddio. Roedd ei hieuenctid yn ei gadael a hithau'n treulio'i hamser yn golchi, smwddio, darparu bwyd, a gwneud tân ddydd ar ôl dydd ar ôl dydd. Bwydo'r ieir a'r moch, sgubo'r llwybr... doedd bosib nad oedd yna fwy i fywyd na hyn?

O leiaf roedd Evan yn cael dianc bob dydd Sadwrn. Roedd ganddo fo rywle i fynd. Oedd o wedi'i thwyllo? Oedd o wedi priodi merch ac etifedd Tyrpeg Ucha i gael fferm ar blât? Ar amrantiad, cael rhywfaint o gyfoeth y tu cefn iddo? Ond o edrych yn ôl, roedd pethau i'w gweld mor braf a pherffaith ar y dechrau. Roedd ganddyn nhw freuddwyd. Gwella Tyrpeg Ucha i fod yn rhywle gwerth chweil i'w plant. Ond roedd Evan wedi newid. Rhywle yng nghwrs y blynyddoedd cynnar, roedd rhywbeth wedi diflannu am byth o'u perthynas.

Roedden nhw wedi dal i fynd trwy'r mosiwns o garu, ond doedd yr angerdd ddim yno mwyach. Doedd o ddim wedi gafael amdani, ddim wedi ei chofleidio'n dyner ers blynyddoedd. Roedd caru bron wedi mynd yn ddyletswydd. Fel mynd â baedd at hwch neu darw at fuwch. Rhoddodd ei llaw ar ei bronnau eto a dechrau eu mwytho. Caeodd ei llygaid.

Ailddechreuodd smwddio pan glywodd sŵn traed ar y graean y tu allan i'r drws cefn. Peth od bod Evan adre'n gynnar, meddyliodd. Daeth cnoc ar y drws a llais Johnny'n gweiddi,

"Oes 'ma bobol?"

"Tyrd i mewn, ma'r drws yn 'gorad."

"Chwilio am Mistar Pritchard o'wn i. Dad yn gofyn 'sa fo'n galw ar 'i ffordd o'r capal bora 'fory. Meddwl 'sa fo 'di gweld adfyrt yn *Y Genedl*. Rhyw ffarmwr o Lanfaglan isho deuddeg acar i bori dros y gaea a'r gwanwyn, a 'sa ni'n rhoid Cae Haidd, a chitha'n rhoid Maes Mawr..."

"Papur Sir Gaernarfon ydi'r *Genedl*, Johnny! Mi wyddost fod Evan yn un garw am Shir Fôn!"

"Wel, Dad oedd yn meddwl..."

"Tynnu dy goes di dw i! Wn i'm be oedd o ar feddwl 'i 'neud hefo Maes Mawr yn ystod y flwyddyn nesa 'ma, ond mi geith o alw ar bob cyfri. Tyrd i mewn ac ista wir ddyn. Gawsoch chi air wedyn gin Hugh?"

"Do, llythyr digon digalon deud y gwir."

Yn sydyn fe'i cafodd Miriam ei hun yn edrych ar Johnny fel dyn. Fel dyn yr oedd hi'n ei ddeisyfu. Roedd o'n ŵr ifanc cydnerth. Cofiodd am y diwrnod y cafodd ei hanner cario adref o Langefni wedi'r ffeit yn y Bull. Cofiai daenu'r cadach gwlyb hyd ei wyneb i lanhau'r clwyf o dan ei lygad; cofio agor ei grys, yna'i dynnu, a golchi'r gwaed oddi ar ei frest.

Oedd, roedd Johnny yn ddyn. Ychydig yn swil, efallai, ond o leiaf roedd o'n ddyn! Doedd hi erioed wedi clywed straeon amdano fo hefo merched, er ei fod yn tynnu at ei ddeg ar hugain siŵr o fod. Tybed oedd o...?

"Daria'r smwddio 'ma. Mi wna i banad yli. Disgw'l Evan adra ydw i."

"Sut ma' Elin?"

"Duw yn unig ŵyr, Johnny bach. Wn i ddim hyd yn oed ble ma' hi!"

"Yn dre ella, ma' 'na griw yn mynd lawr i'r dre bob pnawn Sadwrn. Mi fyddwn inna'n arfar mynd cyn i Hugh fynd i ffwrdd."

Rhoddodd Miriam y tegell ar y tân ac estynnodd flocia coed i fywiogi'r fflamau.

"Fyddi di ddim yn mynd i'r dre rŵan?"

"Bob Sadwrn erstalwm, ond rŵan, 'sgin i 'm 'mynadd."

" 'Sgin ti'm cariad d'wad?"

Er bod Miriam a'i chefn ato, edrychodd Johnny draw a gwridodd. Efallai petai wedi dal i edrych arni y byddai wedi gweld ei braich yn estyn at fotymau ei ffrog ac yn datod dau ohonyn nhw. Cododd a daeth draw ato.

"Ti am f'atab i?"

Llyncodd Johnny ei boer. Doedd neb wedi gofyn petha fel hyn iddo o'r blaen. Doedd o ddim yn siŵr sut i'w hateb. Mi allai fod wedi dweud ei fod o'n ffansïo Elin, ond roedd hi'n iau nag o o dipyn, a gwyddai fod Hugh a hithau wedi bod yn canlyn cyn i hwnnw listio.

Gwelodd Miriam yn dod tuag ato. Cyflymodd ei galon. Roedd botymau top ei ffrog hi ar agor. Roedd o'n gweld topia'i bronnau hi. Ceisiodd edrych i ffwrdd ond roedd ei lygaid wedi'u hoelio ar hafn ddofn ei mynwes. Cofiodd amdani'n plygu drosto y tro hwnnw i dynnu'i grys oddi amdano. Roedd o jyst â marw isho...

"Wyt ti isho...?"

Beth oedd hi'n ei ofyn iddo? Daeth yn nes. Edrychodd i fyw ei lygaid. Plygodd yn isel ato.

"Leciat ti eu twtsiad nhw?"

Estynnodd Johnny'i law ac aeth ias drwyddo wrth

gyffwrdd y cnawd llyfn noeth. Aeth ei law yn ddyfnach i'r hafn a theimlodd y bronnau llawnion. Roedd hi'n gwenu arno, ac yntau'n dal i fwytho a mwytho'r croen cynnes. Roedd ei llygaid ynghau ac roedd hi'n gwneud symudiadau bychain.

Roedd ei llaw yn symud yn araf i fyny'i goes ac at y lwmp oedd yn ei drowsus.

Yna, yr un mor sydyn ag y dechreuodd, roedd y cyfan drosodd. Cododd Miriam. Tynnodd ei law oddi ar ei bronnau a chaeodd fotymau ei ffrog. Roedd hi'n dal i wenu arno. Aeth at y bwrdd ac estyn y tebot. Edrychodd tuag ato, a dweud mewn llais chwareus.

"Paid ti â deud wrth neb!"

Ysgwyd ei ben a wnaeth Johnny.

"Dwyt ti erioed wedi gwneud hynna o'r blaen?"

"Naddo."

"Mae 'na lot o waith dysgu o dy flaen di felly 'n toes?"

* * *

Roedd hi'n hwyr y prynhawn, ac Elin newydd ffarwelio â'i ffrindiau. Roedd hi wedi gweld ei thad yn cerdded i'r Bull ac aeth ei meddwl yn ôl i'r noson honno pan gafodd Johnny gweir gan y milwyr.

Hynny oedd yng nghefn ei meddwl pan wrthododd gynnig ei ffrindiau i fynd i'w canlyn yno. Na, roedd hi am aros am ychydig eto, wedyn mi gerddai adre.

Bu'n cerdded a cherdded rownd y dre. Safodd, edrychodd ac ailedrychodd yn ffenestr pob un siop. Sgwrsiodd gydag amryw o bobl, a phob tro y deuai rownd y gornel at y Bull, oedai rhag ofn y gwelai ei thad ymhlith y twr o bobl a oedd yn sefyllian rownd y drws.

Roedd hi'n dechrau tywyllu pan welodd ef. Roedd yn siarad hefo rhywun, ond yn amlwg ar frys, oherwydd ymhen dim roedd yn hanner cerdded a hanner rhedeg i fyny'r allt. Dilynodd Elin ef o hirbell.

Cyn mynd rownd y tro, edrychodd Elin i lawr ar y dre. Roedd y cloc mawr yn dangos chwarter wedi naw.

Roedd Evan wedi mynd fel cath i gythraul. Doedd gan Elin ddim gobaith ei ddal. Roedd hi'n dal i gerdded yn weddol gyflym fel y dynesai at Dir Neb, a dyna pryd y gwelodd y ddau yn cusanu ar y llwybr o'i blaen. Ei thad oedd un ond pwy oedd y llall? Yn araf, ac yng nghysgod y clawdd dynesodd atynt.

Catrin Hughes!

Roedd y ddau wedi ymgolli'n llwyr yn ei gilydd. Arhosodd Elin ym môn y clawdd ddecllath draw. Gwelai amlinelliad o ddwylo'i thad yn crwydro o dan ddillad Catrin. Cusanau hirion, yna Catrin Hughes yn tynnu'i thad tua'r ffens. Neidiodd y ddau drosti a dechrau rhedeg tuag at y rhedyn a'r coed.

Teimlai Elin fel chwydu. Rŵan, roedd hi'n gwybod pwy oedd yn tuchan y tu hwnt i'r ffens y noson pan gafodd Johnny gweir. Rŵan, roedd popeth yn disgyn yn daclus i'w le... am chwalfa perthynas ei thad a'i mam, Catrin Hughes oedd yn gyfrifol. Pryd tybed yr oedd hyn wedi dechrau? Ddylai hi ddweud wrth ei mam? Ddylai hi ddweud wrth rywun?

Y funud hon, doedd hi ond eisiau mynd adre i'w gwely a meddwl. Meddwl beth oedd orau i'w wneud.

Doedd hi ddim wedi rhedeg llawer pan ddechreuodd y dagrau ddod, ond doedd dim ots ganddi. Doedd hi ond eisiau rhedeg, rhedeg a rhedeg. Rhedeg mor bell oddi wrth Dir Neb ag y gallai. A dyna pryd y baglodd ac y syrthiodd ar ei hwyneb. Ond cyn iddi gyrraedd y llawr roedd pâr o ddwylo cryfion wedi gafael ynddi a'i chodi. Roedd hi ar fin sgrechian pan glywodd lais Johnny,

"Elin? Chdi sydd yna?"

Plannodd ei phen yn ei fynwes a gafaelodd yn dynn amdano a dechrau beichio wylo. Daeth ei ddwylo i anwesu ei phen a'i gwallt, a chlywodd ef yn sibrwd, "Shhhd!"

Yna, roedd ei freichiau amdani a'i ddwylo'n mwytho'i chefn a'i gwasgu ato. Teimlai Elin yn saff.

"Be sy matar, Elin?"

Fedrai hi mo'i ateb. Daeth ei ddwylo o'r tu cefn iddi a gafael bob ochr i'w hwyneb. Gwthiodd hi oddi wrtho ac edrych i fyw ei llygaid.

"Be sy matar, Elin?" ailofynnodd.

Fel ateb i'w gwestiwn, gafaelodd Elin yn ei wyneb a'i dynnu ati. Clodd eu cegau. Gallai Johnny deimlo dagrau Elin yn llifo'n gynnes ar ei boch, ond doedd dim ots. Roedd hi'n anadlu'n gyflym. Gafaelodd Elin yn ei law, a'i gwthio i fyny o dan ei dillad at ei bronnau; a thrwy'r amser roedden nhw wedi'u clymu mewn un gusan hir.

* * *

"Mae'n mynd yn anoddach!"

"Dim ots... mi fydd yn rhaid i ni wneud rhyw drefniada er'ill..."

Roedd Catrin Hughes yn ceisio ailosod ei dillad orau y medrai hi, ond roedd baw a mwd drostyn nhw i gyd.

"Mi lwyddais i i yrru Johnny i fyny acw hefo negas i ti alw'n tŷ ni bora 'fory..."

"Mi fydd Miriam wedi'i fwydro fo!"

"Bydd gobeithio, neu wn i ddim be wnaiff o os aiff o

adra a ffendio 'mod i allan yn rhywla!"

"Deffro Tom?"

"Na! Dod allan i chwilio amdana i, mwy na thebyg."

"Well i ti fynd 'ta?"

"Pryd wela i di nesa?"

"Nos Sadwrn?"

"Os bydd hi'n gyfleus."

"Mi wela i di bore 'fory – os ydw i i fod i alw heibio!"

*   *   *

Roedd Miriam wedi mynd i'w gwely pan glywodd gliced y drws yn cael ei chodi. Elin oedd yno, oherwydd fe aeth ar ei hunion i'w llofft. Credai Miriam iddi ei chlywed yn crio, ond doedd hi ddim yn siŵr. Pryd deuai Evan adref tybed? Hefo pwy yr oedd o'r funud hon? Trodd Miriam ar ei hochr yn y gwely.

Yna meddyliodd am Johnny. Gwenodd. Roedd yna rywbeth yn ddiniwed yn Johnny, ac eto roedd o'n ddyn o'i gorun i'w sawdl. Faint o ddyn tybed? Roedd o wedi bod yn barod iawn i chwarae hefo'i bronnau. Tybed a fyddai Johnny...? Mi fyddai hynny'n talu'n ôl i Evan. Ac i Catrin!

Dechreuodd ei meddwl rasio eto. Mi fyddai Evan ac Elin allan bob pnawn dydd Sadwrn, a fydden nhw byth yn dod adref tan yn hwyr y nos... Tybed a fedrai hi berswadio Johnny i ddod i fyny ati?

Cododd ar ei heistedd. Roedd hi newydd feddwl am ffordd o gael Johnny ar ei phen ei hun am ychydig. Drannoeth mi fyddai Evan ac Elin yn codi, gwisgo i fynd i'r capel, a chychwyn cerdded yn syth wedi bwyta brecwast. Beth petai...?

Cododd o'i gwely a gwisgodd yn gyflym amdani. Aeth

allan i'r nos a cherddodd at Gae Cefn Tŷ. Agorodd y llidiart. Dechreuodd rhai o'r defaid ystwyrian wrth glywed ei sŵn.

Aeth yn ei hôl i'r tŷ gan adael y llidiart yn agored. Yn ôl yn ei gwely, daeth y lwmp yn nhrowsus Johnny yn ôl i'w meddwl. Unwaith eto roedd ei ddwylo caled, garw yn mwytho'i bronnau. Ac ynghanol rhyw feddyliau felly y syrthiodd i gysgu. Ond roedd hi wedi penderfynu beth i'w wneud. Chlywodd hi mo Evan yn cyrraedd gartref. Roedd hi'n ddwfn yn nhir breuddwydion.

* * *

"Johnny! Maen nhw'n dod!"

Gwaeddodd Catrin Hughes ar ei mab wrth weld dau smotyn yn cerdded tuag at y tŷ.

Roedd Johnny'n barod i fynd i'r capel ers amser. Ers neithiwr, roedd yna gynnwrf mawr y tu mewn iddo wrth feddwl tybed beth fyddai gan Elin i'w ddweud wrtho ar ôl yr hyn a ddigwyddodd ar y llwybr. Ac roedd ymddygiad Miriam Pritchard tuag ato'n llenwi'i feddwl hefyd. Am y tro cyntaf yn ei fywyd, doedd o ddim wedi teimlo'n swil yng nghwmni merch. Roedd o wedi gweld rhyw edrychiad yn ei llygaid nas gwelsai yn llygaid neb o'r blaen. Ac roedd hi wedi bod yn gafael a gollwng, gafael a gollwng ei g'ledwch drwy'i drowsus.

Roedd ei gyfarfyddiad ag Elin yn wahanol. Roedd o wedi teimlo'r gwrid yn codi wrth iddyn nhw gusanu, ond roedd hi'n nos, a fedrai Elin ddim gweld ei wyneb. Doedd hi ddim wedi dweud dim oll wrtho, dim ond gafael amdano a gadael iddo'i chusanu a gwneud iddo deimlo'i chorff, a thrwy'r cyfan roedd hi'n ysgwyd i gyd. Ond roedd Johnny'n amau mai oherwydd Hugh yr oedd hi fel hyn.

Dyna pryd y croesodd ei feddwl ei fod yn bradychu'i frawd ac yn manteisio ar Elin. Ond roedd Hugh wedi dweud wrtho y diwrnod y gadawsai fod popeth drosodd rhyngddo fo ac Elin. "Petai hi'n meddwl rhywfaint ohona i mi fyddai wedi dod i 'ngweld i." Dyna a ddywedodd o, ac roedd hynny'n gysur i Johnny.

"Yr achlod fawr!"

Clywodd yr ebychiad yn croesi genau'i fam.

"Beth sydd?"

"Evan a Miriam sydd yna!"

"Ydi Elin..?" cychwynnodd ofyn.

"Nac ydi. Dim ond Evan a Miriam."

Pan gyrhaeddodd y ddau y buarth, gwenodd Catrin ar y ddau. Doedd hi ddim yn siŵr beth i'w ddweud, ac roedd Miriam yn edrych arni drwy'r amser.

"Dydi Elin ddim y teimlo'n dda y bora 'ma," meddai Evan, "ac mae Miriam awydd ailafael yn yr oedfaon."

"Go dda ti, Miriam." Dyna'r unig beth y gallai Catrin feddwl amdano i'w ddweud.

Gwenu ddaru Miriam. Rhyw wên fach neis neis. Roedd pethau wedi gweithio'n well nag a feddyliasai. Pan glywodd Elin fod ei mam yn mynd i'r capel, dywedodd nad oedd hi ei hun yn teimlo'n dda. Ac wrth gychwyn cerdded y sylwodd Miriam fod defaid Cae Cefn Tŷ wedi mynd i grwydro. Roedd Evan yn daer eisiau eu casglu cyn mynd i'r capel, ond roedd Miriam wedi'i ddarbwyllo nid yn unig y basen nhw'n hwyr, ond y basai hi'n fodlon eu casglu wedi'r oedfa – tra byddai Evan yn trafod gosod y tir hefo Tom.

Siarad, siarad a siarad. Dyna'r cyfan a wnaeth Miriam yr holl ffordd i'r capel. Cerddai hi ac Evan ryw deirllath o flaen Catrin a Johnny.

"Mi fydd yna ginio hwyr acw heddiw! Rhwng bod Evan eisiau gweld Tom, finna isho hel y defaid…"

"Hel pa ddefaid?" Johnny a ofynnodd.

"Y defaid o Gae Cefn Tŷ wedi crwydro neithiwr," meddai Evan. "Rhaid bod y giât wedi dadfachu neu rywbath."

"Glywsoch chi wedyn gin Hugh?" Roedd Miriam yn troi'r stori.

"Llythyr digon byr oedd y dweutha. Mae o yn 'i chanol hi, druan."

"Mae'n siŵr y caiff o ddŵad adra ar *leave* cyn bo hir?"

"Mi fasa'n braf ei weld o. Jyst gweld 'i fod o'n iawn."

Yn ôl ei arfer, rhyw fân siarad hefo hwn a'r llall a wnâi Evan wedi'r oedfa. Achubodd Miriam ar ei chyfle i gychwyn.

"Paid â bod yn hir!" gwaeddodd arno gan gychwyn cerdded ar ôl Catrin a Johnny.

Bu Catrin Hughes yn ddwfn yn ei meddyliau am ychydig. Sawl gwaith yr oedd hi wedi cerdded y ffordd yma hefo Evan? Elin, Hugh a Johnny naill ai ymhell o'u blaenau, neu ymhell ar eu holau, a nhwythau'n cael cyfle i siarad. Oedd pobl yn siarad amdanyn nhw? Oedden nhw'n gweld rhywbeth yn od yn eu hymddygiad?

"Paid ti â gadael i Evan aros yn rhy hir acw!" meddai Miriam.

"Beth oedd o'n 'feddwl o syniad Tom?"

"Syniad da. Duw ŵyr, mi fydd hi'n fain arnom ni hefo'r Rhyfal 'ma, 'nenwedig os parith o'n hir," atebodd hithau. "Dydi Elin ni ddim 'run un ar ôl i Hugh chi fynd 'sti."

"Rydan ni i gyd yn gweld 'i golli o, Miriam."

"Evan 'cw wedi teimlo 'fyd."

Edrychodd Catrin drwy gornel ei llygad ar Miriam.

Oedd hi'n awgrymu rhywbeth? Ond doedd ei hwyneb yn bradychu dim. Aeth ymlaen.

"Gobeithio nad ydi'r defaid wedi crwydro'n rhy bell. Faint fedran nhw grwydro mewn 'chydig oria, Johnny?"

"Symudan nhw fawr yn y tw'llwch, ond os ydyn nhw wedi cael oria o ola dydd…"

"Mi fedar Johnny ddod i roi help llaw i chdi."

"Dowadd, na. Faswn i ddim yn meddwl tarfu ar ei Sul o…"

"Na mi ddo i!" meddai Johnny, gan hanner difaru iddo neidio at y cynnig. "Fydd Mot a finna ddim yn hir iawn yn eu hel nhw'n ôl i chi."

Pam, ni wyddai, ond cafodd Catrin y teimlad mai dyna oedd bwriad Miriam.

"Dyna hynna wedi'i setlo 'ta!"

Wedi ffarwelio â Catrin a chasglu'r ci, cychwynnodd Miriam a Johnny ar y daith i Dyrpeg Ucha.

"Pa mor bell fedran nhw grwydro?"

"Ddim yn bell iawn. Dim ond un giât agorais i!"

"Be?"

"Isho i chdi ddod hefo fi oeddwn i."

Teimlai Johnny'r gwrid yn codi.

"Pam?"

"Wedi bod yn meddwl am beth ddigwyddodd neithiwr."

"Wnewch chi ddim deud!"

"Na wna siŵr! Paid â bod mor wirion!"

Am eiliad doedd Johnny ddim yn dallt.

"Be wyt ti'n ei wneud bnawn dydd Sadwrn nesa?"

Bu Johnny'n ddistaw am funud. Roedd o'n amau beth oedd yn dod nesaf.

" 'Chydig o waith fydda i'n ei wneud ar ddydd Sadwrn fel arfar, ond agor ffos yn Nhir Neb fydda i'n ei wneud yn ystod yr w'snos…"

"Pnawn Sadwrn, ddywedais i." Arhosodd Miriam ac edrych arno. "Mae Elin yn mynd i'r dre yn syth ar ôl cinio, ac erbyn dau mi fydd Evan yn ôl ei arfer wedi mynd am y Bull, neu rywla arall…" ychwanegodd.

Wyddai Johnny ddim beth i'w ddweud nesaf. Roedd y gwahoddiad yn glir.

"Fyddi di wedi gorffan tua Thir Neb?"

"Wn i ddim."

"Pam na ddoi di draw yno, tua tri… jyst rhag ofn…" Roedd hi'n gafael yn ei lawes. "Tri?"

Nodiodd Johnny. Gollyngodd Miriam ei lawes.

"Reit! Defaid Cae Cefn Tŷ! Wedi i ni eu hel nhw, mi gei di banad cyn cychwyn adra."

Cwta chwarter awr a gymerodd hi i hel y defaid. Doedden nhw ddim wedi crwydro nemor ddim.

"Saith a deugian?" holodd Johnny.

"Dwy ar goll!" atebodd Miriam. "Mi fydd yn rhywbath i Evan ei wneud y pnawn 'ma. Tyrd i ti gael panad."

Cafodd wên lydan gan Elin pan aeth i'r gegin, ond roedd yna ôl wylo ar ei hwyneb. Roedd hi yno'n paratoi cinio.

"Rwyt ti wedi gwella'n sydyn!" meddai Miriam.

"Meddwl y baswn i'n helpu," atebodd Elin yn gloff.

"Gwna banad i Johnny. Mae o newydd fod yn fy helpu i hel y defaid yna'n ôl."

"Ma'r cetl newydd ferwi. Mi fydd yn barod mewn chwinciad." A throdd Elin i godi'r tegell o'r pentan, rhoi dŵr a the yn y tebot, ac estyn y cwpanau, y soseri, y siwgwr a'r llefrith. Ymhen dim, roedd tair cwpanaid ar y bwrdd o'u blaenau. "Ddaru chi ffendio sut y daru nhw ddengyd?" holodd i geisio cychwyn sgwrs.

"Pan wêl unrhyw ddafad fwlch, mi aiff yn syth

trwyddo," meddai Johnny.

Bu distawrwydd am ennyd. Cymerodd Miriam sip o'i phaned a throi at Elin.

"Faint o'r gloch y doist ti adref neithiwr?"

"Doedd hi ddim yn hwyr iawn."

"Welaist ti rywun ar dy ffordd?"

Unwaith eto clywodd Johnny'r gwrid yn codi. Roedd Elin hefyd i'w gweld wedi cynhyrfu.

"Pam? Ddyliwn i fod wedi gweld rhywun?"

"Mi fuodd Johnny yma. Meddwl ella y basach chi wedi pasio'ch gilydd."

"Gerddaist ti adra dy hun?" Holodd Johnny, gan feddwl y basai hynny'n rhoi cyfle i Elin ateb mewn ffordd arall.

"Rydw i wedi cerddad y ffordd yna fy hun bach ers pan dw i'n ddim o beth!"

Teimlai Johnny yn anghysurus yng nghwmni'r ddwy. Roedd o'n edrych o un i'r llall a'i feddwl ar dân. Beth oedd yn digwydd iddo? A pham roedd ôl wylo ar wyneb Elin. Oedd hi'n difaru am yr hyn a ddigwyddodd? Beth petai'r naill a'r llall yn gwybod y cyfan a ddigwyddasai neithiwr?

"Wyddoch chi be dw i'n bwriadu'i wneud?"

Edrychodd Johnny a Miriam ar Elin am funud. Roedd hi wedi dweud hynna fel petai ar fin dweud rhywbeth mawr.

"Be?" holodd y ddau hefo'i gilydd.

"Mi fuodd yna griw ohonan ni'n siarad ddoe yn y dre. Mae gynnon ni awydd trio mynd i'r Coleg Normal."

"I Fangor!" meddai Johnny.

"Mynd yn athrawes 'ti'n feddwl?"

"Er pan mae'r Rhyfel wedi dechrau, maen nhw'n ca'l trafferth llenwi'r lle, a'r sôn ydi na fydd yna fawr o ddynion ar ôl yna, yn enwedig os daw'r conscripshwn i fod."

Aeth ias drwy gorff Johnny pan glywodd y gair. Roedd ei dad wedi bod yn sôn tipyn am gonscripshwn yn ystod yr wythnosau diwethaf. Gan fod Byddin Prydain yn methu denu digon o wirfoddolwyr, roedd yna sôn wedi bod yn *Y Genedl* bod Lloyd George yn ystyried gorfodi hogiau ifanc i ymuno â'r lluoedd arfog.

"Da iawn ti'n meddwl gneud hynny," meddai Miriam. "Mae isho i ni ferched feddwl mwy am be fedrwn ni'i wneud yn lle aros adra a golchi, smwddio a gneud bwyd i'r dynion 'ma drwy'r amsar! Mae'n bryd i ni daro'n ôl!"

Cafodd Elin sioc pan glywodd hynny. Roedd hi wedi meddwl mai ffrwydro'n wrthwynebus fyddai ymateb ei mam. Dyna pam yr oedd hi wedi achub ar y cyfle i ddweud ei newydd tra oedd Johnny yno.

Gwenodd. Efallai fod yr amser wedi dod iddi hi a Miriam eistedd i lawr a siarad. Ond roedd hi wedi meddwl gwneud hynny o'r blaen hefyd.

* * *

Annwil Dad a Mam a Johnny,

Yn yr line yr ydan ni o hyd. Wedi bod yma rwan am deir wythnos ac y ffrynt ers tri dwrnod. Yn deimlo fy hun yn hel bryfaid heb gael newid ers saith wythnos tra yma a'r dwr a'r mwd yn dod at benglinia withia. Mi gafodd fy mate Owen ei glwyfo ond nid yn ddrwg. Mei o'n hospital. Mae gennif eto frindiau i siarad yr hen iaith now and then. Mi rydwyf fel eraill yn mynd trwy betha mowr a gael fawr orphwys ers mis. Mae nagos i fis ers cael tynnu dillad ycha ond withia'n eista ar ysdol i dynnu esgidieu bob tridia. Yr ydym yn bur flinedig heb chael cysgu ond ychydig o hynny yn dydd a gorfod bod fel llgodan yn gwarchod a gwatshiad yn nos. Ond 200 yards at gelyn, ac mae nhw biafio no lew ond ella heno bydd yn bwys arnom.

Does dim ond disgwyl y goreu. os bydd Duw gyda ni bwy a all fod in erbyn Amen. Mi sgwenai 'chydig etto.

Mae withnos wedi basio ers sgwenni or blaen ac mi ydan rwan or diwadd yn second line a chael gorphwys. Yfory den ni'n cael mynd ir Rest Encampment am pedwar dydd . Nai sgwenni etto wedi bod no.

Gwelais cyfeillion yn R.E. a mi eiddan falch weld ein gilidd a ffendio saith Gymro a gwinhidog Cymraeg. Eidd yn felys pan gydan gilidd Sul dwytha. Ces gyfleustra i wrando Efyngle yn yr iaith a chael cymindeb a cyfarfod canu. A canu fel pytasen ni'n capel Sir Fon a bobl y village sef French yn dod i wrando arnom a ddim yn deall.

A gwelais Jimmy Jones, Llanddeusant ac eithon dan goed i siarad am Sir Fon a ffair Llangefni a Borth a phobol eiddan yn nabod. Eidd arw gen i gorfod gadal bechgyn yr wyf yn nabod o Sir Fon oedd yn annwil i mi ac yn rhyfedd eu gweld yn y lle beryglus ac ofnadwi ma. Mae genni daith blin a hir i gerdded 'fory i Third Line o Trenches lle mae'r gwffio'n fudr. Mi fydd yn o arw pan symudwn ymlaen i'r Second a'r First yn nes at gelyn. Ond disgwyl am gysgod y Graig tra fydda i etto yn y beryglon mawr yma. Nos dawch rwan. Trio sgwenni fy helyntion wrth ddod trwyddynt. eich mab, Hugh Hughes.

Pennod 6

"Paid Johnny! Paid!" gwaeddodd Elin dan chwerthin.

Ond ofer fu gwaedd Elin. Roedd Johnny wedi gollwng ei gaib, ac wedi gafael amdani gyda'i fraich chwith ac yn ei chodi i'w freichiau fel baban.

"Ddim digon cry' i dy gario di adre ia?"

A chychwynnodd gerdded o gyfeiriad Tir Neb i gyfeiriad Tyrpeg Ucha.

"Gollwng fi! Gollwng fi! Agor ffos wyt ti i fod i'w wneud!"

Ond dal i gerdded a wnâi Johnny.

"Ôl reit! Ôl reit! Mi rwyt ti'n ddigon cry'!" Rhoddodd Elin ei braich rownd ei wddf a dechrau gwasgu. " 'Ti isho ffeit?"

Arhosodd Johnny, a rhoddodd hi i lawr yn ofalus. Ond ollyngodd o mohoni. Tynnodd hi ato ac edrych i fyw ei llygaid. Roedden nhw'n chwerthin arno, ac roedd yna rywbeth cynhyrfus yn llechu yn eu dyfnderoedd.

"Fasa chdi erioed yn cwffio hefo hen ddyn!"

Edrychodd y llygaid arno, ac ysgydwodd y pen.

"Na! Mi ges i fy nysgu i barchu henaint!"

Chwerthin ddaru Johnny y tro hwn hefyd. Hwn oedd y trydydd dydd yn olynol i Elin ddod ato ac yntau'n ceisio gorffen agor y ffos cyn y bwrw Sul. Ond doedd dim ots ganddo.

Aethai'i galon ar garlam pan welodd hi'n dynesu'r diwrnod cyntaf. Doedd o ddim wedi cael cyfle i sgwrsio'n iawn â hi ers y nos Sadwrn cynt pan gyfarfu'r ddau ar y llwybr. Edrychai drwy gornel ei lygad arni'n dynesu tra daliai i geibio a rhofio'r pridd o'r ffos. Beth oedd o'n mynd i'w ddweud wrthi? Oedd o'n mynd i'w holi am nos Sadwrn. Oedd o'n mynd i gyfaddef wrthi nad oedd o wedi cysgu hunell yr un noson ers hynny o feddwl amdani?

Pan gyrhaeddodd ato, safodd â'i ddwy goes ar led oddeutu'r ffos a phwysodd ar ei raw.

Gwenodd Elin arno. "Diolch i ti am fynd â fi adre nos Sadwrn."

"Does na 'm rhaid i ti, ond mi fûm i'n poeni amdanat ti hefyd…"

Credai Johnny y byddai hynny efallai yn ei harwain i ddweud beth a ddigwyddasai, ond ar drywydd arall yr aeth Elin.

"Oes yna adegau pan na fyddi di'n gweithio?" holodd, a gwên ar ei hwyneb.

"Nos Sadwrn!" atebodd Johnny. "Pam 'ti'n gofyn?"

"Unig dw i!"

Am eiliad, collodd Johnny fymryn ar ei hunanhyder, a gwyddai ei fod yn gwrido. Oedd hi'n awgrymu beth yr oedd o'n ei amau? Edrychodd arni. Roedd hi'n dal i wenu.

"Rhaid i mi orffen agor y ffos yma, neu mi fydd Dad yn ddyn blin!"

"Fyddi di wedi gorffen erbyn dydd Sadwrn?"

Dechreuodd ei feddwl rasio. Cofiodd am ei hanner addewid i Miriam.

"Mi fydda i wedi gorffen erbyn diwedd y pnawn siŵr o fod."

"Meddwl mynd i'r dre oeddwn i."

Ailgydiodd Johnny â'i ddwy law yn ei raw a rhoddodd un droed yn y ffos i ddechrau symud pridd eto. Doedd o ddim wedi bod yn y dre ar ddydd Sadwrn ers wythnosau lawer, a doedd ganddo fawr o awydd mynd ychwaith. Daeth Elin yn nes ato.

"Rydw i'n mynd i gyfarfod rhai o'r genod erbyn cinio, ond maen nhw'n troi am adre tua phump. Meddwl aros am ryw awr neu ddwy wedyn oeddwn i... 'tasa gen i gwmpeini."

Oedd, roedd hi'n gofyn iddo fo fynd i'w chanlyn i'r dre. Doedd dim dwywaith am hynny.

"Os bydda i wedi gorffen erbyn amser te... ond Arglwydd mi fydda i wedi blino..."

Yna roedd ei llaw ar ei law yntau. Cododd Johnny ei olygon ac edrych arni.

"Plis tyrd. Mae gen i ofn cerdded adre fy hun. Ac os byddi di wedi blino, mi gei di bwyso arna i, unwaith eto, wrth gerdded adre!"

Roedd hi wedi rhoi pwyslais ar yr 'unwaith eto', a galwodd Johnny i gof y noson honno y bu'n hanner gafael yn ei bron. Yna, gyda chwerthiniad bychan, roedd hi wedi troi ac yn rhedeg ar hyd Dir Neb i gyfeiriad y llwybr a oedd yn arwain at Dyrpeg Ucha.

Yr ail ddiwrnod, daethai â basged gyda hi i'w chanlyn.

"Rydw i wedi bod yn dweud wrth dy fam na fyddi di gartre i ginio! Mi gawn ni bicnic!"

A bu yno yn ei gwmni am ddwyawr. Amser cinio, aeth y ddau i eistedd ar y clawdd i fwyta'u brechdanau. Dyna pryd y ceisiodd Johnny ddweud wrthi rywbeth oedd ar ei feddwl.

"Ynglŷn â dydd Sadwrn..."

"Be amdano fo?"

"Amdanan ni..."

"Be amdanan ni?"

"Dw i ddeuddang mlynadd yn hŷn na chdi..."

"Dw i'n gw'bod. 'Ti'n hen!"

Plygodd Elin ato a rhoi ei braich am ei wddf. Fe'i cusanodd yn ysgafn ar ei wefusau, yna neidiodd o ben y clawdd a dechrau gweiddi, "Hen ddyn! Hen ddyn!"

"Elin! Bydd distaw, rhag i rywun glywad!"

Ond doedd o ddim eisiau iddi fod yn ddistaw chwaith. Roedd yna hwyl yn perthyn iddi, ac roedd blas ei chusan yn dal ar ei wefusau a'i galon yn curo'n wirion.

Dyna a ddigwyddodd y bore hwn eto pan ddaeth ato. Cerddodd y llathenni olaf tuag ato fel hen wraig yn ei chwman, a gofyn iddo mewn llais crynedig, "A sut mae'r heeen ddyyyn y bora 'maaaa?"

Rhuthro amdani a wnaeth Johnny a'i chodi yn ei freichiau.

"Paid, Johnny! Paid!"

* * *

Annwil Mam a Dad a Johnny,

Mi fuo'r 5 diwrnod dweitha yn gythreilig. Ers 5 dydd yr ydym yn y trench cyntaf ar y front line yn agos ir gelyn ac mai wedi bod yn arw arnai. Mi gafon amser boeth gydar shellio. Dim ond disgwil a disgwil eiddan ni i shell dropio ar ein pennau an chwalu fel hogiau erill. Mi fuon diodde peryglon enbyd. Mi gafon orders i fynd dros y top a dod a prisoners o war yn ôl ir trench a dyma ni mynd efo soldiwrs 2 Batt. RWF a sgarmes fawr ac mi gafon dri prisoner a machine gun ond colli saith dyn wrth ddihengid. Wrth drugaredd mi gefais ddihangfa etto ond wn im am ba hyd y pery hyn ond yr wyf yn diolch am gael fy ngwared bob tro.

Mi rydym wedi cael orders i ddod yn ôl i second trench rwan a gwneud detail claddu cyrph. Cyn claddu rydim yn tynnu identity disc a petha o pocedi hogiau ai gyru adra at teulu. Mi ydan yn pushio mlaen ac yn ennill tir ond mae hogian disgyn a colli bywydau am bob trench nillwn ni. Ydan ni rwan wedi cyrraedd trydydd trench y gelyn ac edrach fel petasen nhw ncilio. Amsar i ni gael rest ond rodd Division oedd i fod i ddod in lle wedi cael eu gyrru i helpu lleill i wynebu gelyn tra'n trio gorchfygu. Ac mi ydan yn gorfod rhoid weiran bigoc i gyfeiriad y gelyn ar tir neb. Eiddwn in cofio Johnny a finna'n rheid weiran bigoc ar tir neb ni ac eiddwn in diolch nad oedd cwffio nac gelyniath yn bod cydrhwng Cae Cudyll a Thyrpeg Ucha. Disgwyl y goreu a wnawn yma ond maen rhaid imi ddwedyd nad wyf yn medru dal hyn llawer yn hwy. Yr wyf yn meddwl am bob hogyn a gariaf ar detail claddu cyrph mae yno mam a thad a gwraig neu efalle blant adref yn disgwil a llythr yn dod yn deud mai marw yw. Ond gwir hefyd am gelyn. Mae canoedd o cyrph nhw ndal heb ei claddu. Chown ni ddim gneud. Mei'r cyrph yn troin ddu wedi sbel o ddyddia ac yn stiff a phydru.

Eiddwn in dyscu hanas uffern ddu yn capal. Y rwyf wedi bod yn uffern ddu mam a thrwy ras Duw mi gaf ddychwelyd oddi yma a descrifio i wormyngyrs beth ydi cwffion rhyfal cyfiawn. Newch chi weddio ar Dduw i ngwaredun saff adref. Hugh Hughes.

* * *

Wrth gerdded yn ôl tuag at Dir Neb o'i ginio, roedd yna sbonc yng ngherddediad Johnny. Galwasai Elin ar ei ffordd i'r dre ganol y bore, ac roedd yntau'n ffyddiog y byddai wedi gorffen ei waith mewn da bryd i'w chyfarfod yn Llangefni erbyn pump. Dim ond iddo gael llonydd!

Cas beth Johnny oedd gadael joban o waith ar ei hanner, ond wrth iddo grafu'r pridd oddi ar ei raw a'i gaib cofiodd yn sydyn am Miriam Pritchard. Roedd honno wedi dweud y byddai yng nghyffiniau Tir Neb am dri o'r gloch. Ac yntau wedi addo cyfarfod Elin am bump, bu ond y dim iddo benderfynu mynd i fyny i Dyrpeg Ucha i'w gweld ond aeth ias drwyddo wrth iddo gofio nad oedd Evan gartref chwaith. Byddai yno ar ei ben ei hun gyda Miriam.

Edrychodd unwaith eto ar y ffos agored. Byddai angen tipyn go lew o gerrig i roi gwaelod iawn arni cyn ei chau. Gwaith trol a cheffyl.

"Johnny!"

"Damia! Miriam Pritchard!" rhegodd dan ei wynt.

Waeth beth oedd ei bwriadau hi, roedd o wedi penderfynu dweud yn blwmp ac yn blaen wrthi ei fod yn mynd i gyfarfod ag Elin yn y dre am bump.

Cafodd Johnny sioc pan droes i edrych arni. Nid yr un Miriam oedd hi y pnawn yma. Yn hytrach na'r ffrog lwyd a'r barclod croes, roedd hi mewn sgert laes ac roedd ei gwallt wedi'i godi'n gocyn y tu ôl i'w phen.

"Cychwyn o'ma oeddwn i," dechreuodd ddweud.

"Finna'n meddwl 'mod i'n gynnar!"

"Dw i 'di addo cyfarfod… rhywun yn y dre am bump."

Damia! Pam gythraul na fuasai wedi dweud wrthi mai mynd i gyfarfod Elin roedd o. Pam yr oedodd? Gwenu a wnaeth hi.

"Finna'n meddwl y basa chdi lecio gweld rhywbath…"

"Gweld rhywbath?"

"Yn y tŷ gwair. Tyrd yn dy flaen, fyddwn ni ddim chwinciad yn piciad yna ar draws y caeau... chwartar awr ac mi fyddi di ar dy ffordd adra!"

A'i dilyn a wnaeth dros y caeau i gyfeiriad tŷ gwair Tyrpeg Ucha. Cerddai'n gyflym a Johnny ryw hanner cam y tu ôl iddi.

"Be sydd gynnoch chi i ddangos i mi?"

"Gei di weld!"

Pan gyrhaeddodd y ddau'r adeilad cerrig, tynnodd Miriam y stwffwl dur a ddaliai'r drws ynghau a'i agor.

"Ar d'ôl di!" meddai'n dalog.

Aeth Johnny drwy'r drws. Doedd o ddim wedi bod yn nhŷ gwair Tyrpeg Ucha erstalwm. Adeg cynaeafu, cribinio a chodi'r teisi bychain ar y drol fyddai'i waith o. Evan a'r hogiau 'fenga fyddai'n dod â'r drol i'w dadlwytho.

Edrychodd o'i amgylch. Doedd dim yn anghyffredin yma.

Troes at Miriam. "Be sy gynnoch chi i ddangos i mi?

Gwenu a wnaeth Miriam a gafael yn ei fraich a'i arwain at y gwair. Gollyngodd ei law a gorweddodd. Yna cododd ei sgert at ei gwddw.

"Tyrd yma, Johnny!"

Tynnodd Johnny ei wynt ato. Ei ymateb cyntaf fu edrych draw, ond crwydrodd ei lygaid yn ôl tuag ati. Gwelai goesau gwynion Miriam yn araf ledu o'i flaen a doedd hi'n gwisgo dim byd o dan ei sgert.

"Tyrd yma, Johnny!"

Llyncodd ei boer, a cherdded yn araf tuag ati.

* * *

Gwyliai Evan y cloc yn araf nesáu at naw o'r gloch. Hanner gwag oedd ei bot peint a doedd fawr o awydd arno godi peint arall. Cawsai ddiwrnod da, ac roedd ganddo newydd fasai wrth fodd Catrin a Tom. Roedd wedi taro ar Ellis Jones, ganol y pnawn – hwnnw ar ei ffordd yn ôl o Gaergybi i Lanfaglan. Roedd newydd ddanfon gyr o wartheg i gyfarfod cwch 'Werddon, ac roedd am dderbyn y deuddeg acer i aeafu'i anifeiliaid. Byddai'n fodlon talu'n ychwanegol pe gellid trefnu i gadw golwg ar ei stoc.

Deuai hynny â chryn swm o arian i'r ddau deulu erbyn y gwanwyn – ac roedd ei angen yn ddybryd.

Llowciodd gegaid arall o'i gwrw. Byddai'n well iddo gychwyn. Cafodd bwt yn ei gefn, a throdd. "Elin! Be ar wynab y ddaear wyt ti'n ei wneud yma?"

Yna gwelodd Johnny. "Be 'dach chi'n ei wneud mewn lle fel hyn?"

"Cychwyn am adra 'dach chi?"

"Meddwl mynd mewn dau funud."

"Ninnau hefyd. Mi fyddwch chi adra'n gynnar heno felly?"

Osgoi ateb a wnaeth Evan. Beth ar wyneb y ddaear oedd o'n mynd i'w wneud rŵan? Ailofynnodd ei gwestiwn. "Be 'dach chi'n ei wneud yma?"

"Johnny oedd awydd peint cyn troi am adra."

"A be wyt ti'n mynd i'w wneud?"

"Aros amdano fo!"

"Yn fa'ma?"

"Pam lai?"

"Arglwydd mawr! Wyddost ti pa fath o ferchaid sy'n dod i'r lle yma?"

"Mi wn i pa fath o ddynion!"

"Y munud y bydda i wedi codi peint, mi awn ni drwadd

i'r stafell ganol, Mr Pritchard."

"Aros! Yn fan'na!"

Ac aeth Evan tua'r bar. Toc, daeth yn ei ôl â phot peint yn ei ddwrn.

"Hwda! Cymer ddiod gen i", meddai, "a pheidiwch chi â bod yn hwyr yn cyrraedd adra!"

A chyda hynna o eiriau, trodd ar ei sawdl ac aeth allan.

"Be oedd yn matar arno fo?" holodd Johnny.

"Cael sioc o 'ngweld i yma siŵr o fod."

"Oeddat ti o ddifri ynglŷn â cherddad adra hefo fo?"

Teimlodd Johnny law yn gwasgu blaen ei drowsus.

"Be wyt ti'n 'feddwl?!"

Ugain munud yn ddiweddarach gadawodd Elin a Johnny y sŵn a cherdded allan o'r Bull.

"Mi rwyt ti dipyn sadiach ar dy draed heno nag oeddat ti'r tro dweutha i ni gerdded ffor'ma hefo'n gilydd!"

Rhoddodd Johnny ei law am Elin a'i gwasgu ato. Estynnodd hithau ei llaw am ei law yntau a'i symud nes roedd hi'n gorffwyso ar ei bron.

"Gafaela'n dynn yr hen ddyyyyn! Yn fan'na oedd dy law di'r tro dweutha os cofia i'n iawn!"

Chwerthin a wnaeth Johnny, a chydgerdded gydag Elin i fyny'r allt am adre. Teimlai'n annifyr, ac felly y bu'n teimlo ers iddo gyfarfod Elin yn gynharach y noson honno. Beth pe bai hi'n gwybod am yr hyn a wnaeth o a Miriam ychydig oriau ynghynt? Roedd ei gefn yn dal i frifo.

Pan deimlodd Johnny ei meddalwch cynnes yn agor oddi tano, roedd Miriam wedi gwthio'i dwylo o dan ei grys ac wedi crafu a chrafu'i gefn. Roedd hi fel anifail gwyllt yn gwingo ac yn ochneidio ac yn lapio'i choesau am ei ganol.

Ceisiodd roi hynny o'i feddwl, a dechreuodd fwytho bron

Elin. Arhosodd y ddau a dechrau cusanu'n wyllt. Ac felly, o gusan i gusan, y cerddodd y ddau nes cyrraedd Tir Neb.

Roedd Elin hithau ar brydiau yn ddwfn ynghanol ei meddyliau bach ei hun. Dychmygai weld ei thad a Catrin ar y llwybr unwaith eto, ac aeth ias arall drwyddi. Ddylai hi ddweud wrth Johnny am yr hyn a welsai? A phe dywedai, sut tybed fasai o'n ymateb i'r newydd?

Wrth nesáu at Dir Neb arafodd ei cherddediad. "Johnny?"

Cyn iddi gael dweud dim mwy roedd gwefusau Johnny ynghlwm wrth ei gwefusau hi a'i ddwylo'n dechrau crwydro hyd ei mynwes.

"Johnny?" gofynnodd drachefn. "Beth am i ni fynd i rywle i garu go iawn?"

"I ble?"

"Tŷ gwair?"

"Na!" Doedd o ddim wedi bwriadu dweud hynny mor siarp ag y gwnaeth.

"Pam? Wyt ti ddim eisiau?"

"Oes, Elin! Oes!"

"Tyrd 'ta!"

Ac am yr eilwaith y diwrnod hwnnw, croesodd Johnny'r caeau tua thŷ gwair Tyrpeg Ucha. Am yr eilwaith aeth drwy'r drws, ac am yr eilwaith gorweddodd yn y gwair.

Ond y tro hwn, nid gweithred o ychydig funudau anifeilaidd gwyllt fu caru ar y gwellt, ond hanner awr o garu ara bach, ac Elin yn anwesu'i gorff â'i dwylo, â'i choesau, â'i thafod… ac yntau'n cael y teimladau a'r iasau mwyaf gwefreiddiol.

Roedd o wedi dweud y geiriau yn ei chlust cyn iddo sylweddoli'n iawn beth a ddywedasai, "O! dw i'n dy garu di, Elin! Dy gaaaaaru di!"

Ac roedd hithau, wrth ei gofleidio, wedi gwasgu'r mymryn bach hwnnw'n fwy, ac roedd hynny wedi dweud mwy na geiriau wrtho.

* * *

Y fath wastraff! Dyna'r frawddeg a ddeuai amlaf dros wefusau Hugh y dyddiau yma. Roedd o'n ei hadrodd a'i hailadrodd wrtho'i hun yn feunyddiol. Cannoedd ar filoedd yn marw bob dydd wrth gwffio am y goedwig a dim golwg o ddiwedd ar yr holl wastraff.

Roedd o weithiau'n dychryn wrth feddwl am yr holl bethau a welsai. Roedd o a Coy un dydd wedi syllu mewn rhyfeddod ar Almaenwyr a Phrydeinwyr yn saethu *shells* i ganol y goedwig. Roedd hi'n amlwg bod sgarmes waedlyd wedi bod yno ddydd ar ôl dydd, a bod y lle'n llawn cyrff, ond rŵan, y prynhawn hwn, roedd y ddau elyn wedi penderfynu shelio'r coed. Disgynnai *shell* ar ôl *shell* ynghanol y coed gan ffrwydro y naill ar ôl y llall. Roedd cangau coed a chyrff yn cael eu taflu'n uchel i'r awyr gyda phob ffrwydrad. Roedd y cyfan mor afreal fel na fedrai'r ddau wneud un dim ond gorwedd yn llonydd ac edrych ar y cyfan. A dyna pryd y dechreuodd Hugh feddwl o ddifri. Roedd pob corff a deflid i'r awyr yn fab neu'n gariad neu'n ŵr neu'n dad i rywun. A rŵan, dyma nhw'n cael eu taflu a'u darnio fel doliau clwt. Ac roedd o'n rhan o hyn i gyd. Y fo, Hugh Cae Cudyll. Ar chwibaniad pib, neu ar orchymyn swyddog, roedd o'n beiriant lladd. Ac i beth?

Roedd o'n cofio geiriau John Williams Brynsiencyn am ryfel cyfiawn. Roedd o'n cofio'r geiriau am ymladd dros ryddid. Hwn oedd y rhyfel i orffen pob rhyfel. Ond geiriau gwag oeddan nhw. Doedden nhw'n golygu dim mewn gwirionedd.

Roedd Hugh yn dychryn ei fod o wedi dechrau cynefino ag arogl cyrff pydredig. Doedd gweld corff heb ben, heb freichiau, neu heb goesau yn mennu dim arno erbyn hyn, ond wrth wylio'r cyrff yn cael eu taflu i'r awyr gan ffrwydradau'r *shells* fe groesodd ei feddwl fod rhywbeth mawr o'i le. A dyna pryd y dechreuodd o feddwl o ddifri am gynllun i ddianc.

Roedd Hugh wedi meddwl ganwaith y byddai'r cynllun yn gweithio, ond beth petai o'n methu? Roedd un peth yn sicr, roedd o eisiau mynd o'r uffern yma unwaith ac am byth. Ond sut?

Sawl gwaith yr oedd o wedi edrych ar fechgyn ifainc wedi'u clwyfo'n cael eu cario'n ôl i ddiogelwch? Pob un ar ei ffordd adref. Mynd yn ôl at eu rhieni, eu cariadon neu eu gwragedd, ac yntau'n dal i orfod dioddef yr uffern hunllefus yma ddydd ar ôl dydd.

Roedd wedi taro'i feddwl unwaith i wrthod ufuddhau i orchmynion y swyddogion, ond gwyddai mai dienyddiad cyflym fyddai canlyniad hynny. Roedd o wedi gweld dienyddiadau o'r fath. Roedden nhw'n cael eu gorfodi i'w gwylio, fel rhybudd...

A dyna pryd y daeth i'w feddwl y gallai ddianc, neu yn hytrach ddiflannu.

Gan eu bod yn awr yn ennill tir – o leiaf ganllath y dydd – roedd o a Coy wedi bod yn rhan o fintai gladdu fwy nag unwaith yn ystod yr wythnos a aethai heibio. Byddai degau ohonynt yn mynd yn eu holau yn ystod y nos ac yn cludo cyrff y meirwon tua'r ffos flaen, tra oedd eraill wrthi'n ceibio ffos ddofn i'w claddu. Y gorchwyl olaf bob tro cyn rhoi'r corff yn y ffos gladdu oedd gwagio'r pocedi a thynnu disg adnabod pob milwr oddi am ei wddf. Rhoddid y cyfan mewn amlen, ei selio a'i hanfon yn ôl i'r pencadlys er mwyn hysbysu'r teuluoedd.

Yn ôl amgyffrediad Hugh, roedd y gelyn i'r gorllewin a'r gogledd, a lluoedd Prydain i'r dwyrain a'r de. Gan fod y milwyr i'r de gryn hanner milltir ymlaen, gallai ddianc tua'r de.

Roedd wedi troi a throi'r cynllun yn ei ben ers dyddiau ac oedd, mi roedd o'n benderfynol o'i weithredu. Yr unig beth a groesodd ei feddwl oedd y fath ofid y byddai'r cyfan yn peri i'w deulu yn ôl ym Môn, ond cysurodd ei hun mai fo oedd yma ynghanol yr erchylltra. Roedd yn rhaid iddo feddwl amdano'i hun.

"Mintai gladdu!" gwaeddodd y corporal. "Coy, Jones, Rees, Brown, Hughes, Beament..."

Llyncodd Hugh ei boer. Roedd wedi penderfynu. Heno a 'fory amdani felly. Aeth draw at y gweddill. Yr un oedd y rwtîn. Mynd fesul dau i gludo'r cyrff yn eu holau at y ffos, yna pump i aros ar ôl i wagio pocedi a thynnu'r disgiau adnabod a'u rhoi mewn amlenni cyn i'r cyrff gael eu claddu. Roedd y pump wedyn i fynd â'r amlenni i'r corporal, ac yntau i drefnu i'w hanfon yn ôl i'r pencadlys.

Roedden nhw'n gweithio'n gyflym, a gweddïai Hugh na welai'r un o'r lleill ef yn rhoi cynnwys ei bocedi a'i ddisg adnabod ei hun yn un o'r amlenni. Ymhen dwyawr, roedd y cyfan drosodd. Roedd Hugh yn ôl yng nghwmni Coy a'r amlenni wedi'u trosglwyddo i'r corporal.

Treuliodd Hugh noson ddigon anesmwyth. Beth petai'r corporal yn edrych trwy'r amlenni heno cyn eu hanfon yn ôl? Beth petai Cymro Cymraeg yn darllen y llythyr brysiog yr oedd wedi ei anfon at ei rieni? Doedd o ddim wedi dweud y cyfan, ond roedd o wedi dyddio'r llythyr ymlaen llaw gan obeithio y byddai rhywun yn sylwi... Cysgodd.

Pan ddeffrodd, roedd Coy yn gwenu arno fel hogyn drwg.

"Gwaith caled heddiw, mêti!" meddai gan bwyntio at y llawr. Yno roedd *Lewis-gun* ac wyth cant o fwledi.

"Chwech ohonan ni," eglurodd Coy. " 'Dan ni i fod i fynd ymlaen ryw ganllath a ffendio neu grafu twll i osod y *Lewis-gun*."

Suddodd calon Hugh. Peryg na fyddai ei gynllun yn gweithio heddiw. Fyddai yfory'n rhy hwyr? Ceisiodd roi'r cyfan o'i feddwl wrth ganolbwyntio ar y dasg a'u hwynebai. Gan eu bod nhw'n cario'r *Lewis-gun*, fydden nhw ddim yn mynd gyda'r lein gyntaf. Gyda'r ail lein yr aen nhw yng nghysgod hogia'r lein gyntaf.

Pan ganodd y bib rhuthrodd y rheng gyntaf i fyny'r ysgolion. Ar yr ail ganiad dilynodd Coy, Hugh a'r gweddill. Y munud y gwelodd yr olygfa o'i flaen, tybiai Hugh na fyddai'n gweld machlud haul y dwthwn hwn. Doedd yna ddim gynnau trymion yn tanio o'r tu ôl iddynt ac felly roedd sneipars a *machine-guns* y gelyn yn cael targedau hawdd. Roedd cannoedd ar gannoedd o fwledi yn sïo heibio iddo, yn taro'r llawr o'i flaen, a phob ochr iddo. Disgynnodd dwsinau o filwyr, ond dal i redeg yn ei flaen a wnâi Hugh. Ymlaen ac ymlaen cyn gorfod disgyn o'r diwedd o dan bwysau'r bwledi a gariai.

"Ymlaen! Ymlaen!" gwaeddai Coy, a dyna'r geiriau olaf a ynganodd. Gwelodd Hugh ef yn sefyll yn stond. Roedd bwled wedi ei daro yn ei wddf. Syrthiodd wysg ei gefn a gorwedd yn llonydd. Cododd Hugh a chychwyn rhedeg tuag ato. Syrthiodd. Roedd poen yn saethu i fyny'i goes chwith. Edrychodd i lawr. Roedd gwaed yn pistyllio o'i glun. Gwelodd dwll o'i flaen a chrafangodd iddo.

"Dyma hi! Dyma hi!" meddyliodd. "Dyma'r foment mae

Hugh Cae Cudyll yn ymadael â'r byd hwn!" Hedodd ei feddwl yn ôl i Gae Cudyll. Mi fyddai ei fam yn paratoi brecwast, a'i dad yn dal i fflamio'r Rhyfel. Mi fyddai Johnny yn y beudy'n godro, wedyn yn rhoi bwyd i'r moch. Mi fyddai Elin yn gorwedd yn ei gwely'n meddwl amdano, ac yntau'n gwaedu i farwolaeth mewn twll yn naear Ffrainc. Edrychodd fry, roedd yr awyr las yn troi'n ddu. "Y gwaedu!" Dyna a âi drwy'i feddwl. "Rhaid stopio'r gwaedu." Tynnodd ei felt, a lapiodd hi am ran ucha'i goes. Tynnodd hi'n dynn drwy'r bwcwl, ei throi a'i throi ond roedd yr awyr las yn duo. Duo. Duo. Duo. Cysgodd.

Pan ddeffrodd, roedd hi'n ddu bitsh. Saethodd y boen i fyny'i goes. Edrychodd i fyny. Roedd yr awyr yn ddu, ond nos oedd hi. Clustfeiniodd. Tybiai iddo glywed sŵn griddfan, ond pan wrandawodd drachefn doedd dim sŵn i'w glywed yn unman. Ceisiodd godi mymryn, ond roedd pob symudiad yn gyrru iasau o boen drwy'i holl gorff.

Llwyddodd i godi ar ei eistedd a chodi'i ben. Roedd mân oleuadau i'w gweld yn syth o'i flaen, ac o'r tu ôl iddo. Penderfynodd mai'r Almaenwyr oedd yn syth o'i flaen, a'r lluoedd Prydeinig y tu ôl iddo. Clywodd y griddfan drachefn, ac yna, gwelodd gysgodion duon yn symud. Yn araf, ar eu pedwar, cropiai pedwar cysgod tuag ato. Clywai sibrwd, yna'r griddfan drachefn. Yn sydyn, poerodd saethiadau o dân o gyfeiriad ffos y gelyn.

Gwyddai mai sgwod ambiwlans oedd yno, wedi deall bod rhywun wedi'i glwyfo yn dal ar Dir Neb. Roedd un o wylwyr y gelyn yn amlwg wedi gweld y cysgodion ac wedi dechrau saethu atynt. Bu ond y dim i Hugh weiddi, ond ailfeddyliodd. Efallai y gallai ddianc wedi'r cyfan.

Am oddeutu awr bu'n gwylio'r cysgodion yn llusgo rhywun fesul modfedd yn ôl i ddiogelwch y ffos. Pan oedd hi'n dawel drachefn, penderfynodd geisio cropian yn araf tua'r de. A thaith araf oedd hi.

Buan yr ymgynefinodd â'r boen, ond fesul modfedd y symudai. Buasai wrthi'n ddygn am awr, efallai ddwy, pan welodd arwydd ei bod ar wawrio. Tybiai y byddai'n well iddo geisio ffendio twll i guddio ynddo. Ac yntau'n ymbalfalu o'i amgylch am loches, dechreuodd y gynnau mawrion danio.

Ar y dechrau roedden nhw'n swnio'n agos, ond buan y sylweddolodd ei fod wedi symud rhai cannoedd o lathenni i'r de. Tybed a fyddai'r hogia'n mynd dros y top ar doriad gwawr eto? Os felly, câi wybod yn ddigon buan pa mor bell o'r frwydr yr oedd o mewn gwirionedd.

Yna dechreuodd gynnau'r gelyn danio'n ôl. Yn sydyn sylweddolodd Hugh ei fod mewn perygl. Roedd rhai o'r *shells* yn ffrwydro'n frawychus o agos ato. Rhaid iddo ffendio twll i gropian iddo. Ceisiodd godi ar ei bedwar. Clywodd ffrwydrad i'r chwith iddo ac agorodd twll yn y ddaear. Chwibanodd darnau o shrapnel yn fileinig o agos i'w ben. Ceisiodd godi i'w hyrddio'i hun i'r twll a dyna pryd y ffrwydrodd un o'r *shells* wrth ei ochr. Fe'i hyrddiwyd i'r awyr. Roedd o'n hedfan, hedfan fel aderyn bach. Roedd o o'r diwedd yn rhydd! Yn hedfan fry! Yna, roedd o'n disgyn. Disgyn i Dir Neb.

* * *

Rhoesai Evan y gorau i geisio deall merched. Ers dyddiau bu'n troi a throsi digwyddiadau'r dyddiau blaenorol yn ei feddwl a doedd dim yn gwneud synnwyr iddo.

Daethai Catrin i'w gyfarfod fel arfer ar ei ffordd adref nos Sadwrn, ond roedd o wedi dweud yn blwmp ac yn blaen wrthi ei fod yn mynd adref ar ei union. Cawsai sioc pan ddaethai Elin ato i'r Bull. Hwnnw oedd y trydydd os nad y pedwerydd tro iddi grybwyll wrtho yn ystod yr wythnosau a aethai heibio ei fod yn cyrraedd adre'n hwyr ar nos Sadwrn. Oedd hi'n amau rhywbeth? Oedd hi'n gwybod rhywbeth? Bu yntau'n ffôl efallai'n crybwyll hynny wrth Catrin. Wnaeth hi ddim oll ond troi ar ei sawdl a mynd adre ar ei hunion i Gae Cudyll.

A phan gyrhaeddasai yntau Dyrpeg Ucha, roedd Miriam yno'n llawen i gyd, wedi ymbincio ac yn hymian canu! Be ar wyneb y ddaear oedd wedi digwydd iddi hi? Roedd ei thafod, fodd bynnag, mor finiog ag erioed.

"Be ddaeth â chdi adre mor gynnar?"

Ceisiodd feddwl am ateb coeglyd, ond y cyfan a ddywedodd oedd fod ganddo newyddion da.

"Ma'r tir wedi'i osod am y gaea. Ac mi gawn ni swm bach taclus am fwydo a gofalu am yr anifeiliaid."

"Pwy ddeudodd hynny wrtha chdi? Catrin?"

"Gweld Ellis Jones wnes i."

"Dw i'm yn gweld ei sens o'n dod â nhw mor bell, wir."

"Mi fydd o'n eu gyrru nhw o'ma'n syth yn y gwanwyn i Gaergybi."

"Ac mi ddoist ti adra i ddweud hynna wrtha i?"

"Wn i ddim pam dw i'n trio, wir! Mi welais i Elin. Roedd hi rownd y dre hefo Johnny."

"Johnny!"

"Ia. Johnny!"

Aeth at y silff ac estyn y cropar. Wrth estyn ei bot pridd roedd o'n disgwyl clywed y frawddeg arferol, ond cafodd sioc.

"Mi gym'ra inna nogyn!"

"Be?"

"Mi gym'ra inna nogyn hefo chdi! Ydi hynny'n iawn yndi?"

Estynnodd Evan bot arall a thywalltodd ddogn i'r ddau. Roedd geiriau Evan wedi bwrw Miriam fel petai wedi plannu cyllell yn ei chnawd. Mynd i gyfarfod Elin yr oedd Johnny!

"Hefo Johnny Cae Cudyll roedd Elin?"

"Ia. Ac yn hongian arno fo 'fyd!"

"Tydi o braidd yn hen iddi dywad?"

"Mae o ddeng mlynadd dda yn hŷn na hi!"

"Deuddag! Mae'r un faint rhyngddo fo ac Elin ag sydd rhyngdda chdi a Johnny!" Gafaelodd Miriam yn ei phot pridd ac yfed y wisgi mewn un. Roedd o'n llosgi, ond roedd hi ei angen. "Dw i'n mynd i 'ngwely!" meddai, gan adael Evan yno i synfyfyrio.

"Merchaid!" meddai'n dawel wrtho'i hun wrth sipian ei wisgi'n araf. Ac yn sydyn cafodd y teimlad bod popeth yn dechrau cau amdano.

* * *

Dim ond dwy frawddeg oedd ar y telegram:

> PTE HUGH HUGHES (28769) MISSING
> PRESUMED KILLED IN FRANCE – STOP –
> DEEPEST SYMPATHY – STOP – HE MADE
> THE UTMOST SACRIFICE FOR FREEDOM
> KING AND COUNTRY – STOP

Roedd Tom yn ei gadair wrth y tân, a Catrin a Johnny'n eistedd wrth y bwrdd. Cuddiodd Johnny ei ben yn ei ddwylo am y canfed tro. Doedd o ddim yn deall nac yn credu.

Hugh wedi marw! Doedd y peth ddim yn bosib. Ei frawd wedi'i ladd! Daeth Catrin ato, a gafael amdano.

"Mae o wedi mynd, Johnny. Mae Hugh ni wedi mynd. Wedi mynd am byth!"

"Y ffycin 'ffernols!"

O gornel Tom y daethai'r geiriau.

Pan edrychodd Catrin a Johnny roedd o ar ei draed yn gafael yng ngwaelod ei ffon. Cychwynnodd y ddau amdano'r un pryd, ond cyn iddyn nhw ei gyrraedd roedd wedi chwifio'i ffon uwch ei ben ac roedd ei bagl wedi glanio ynghanol llun Lloyd George a hongiai uwchben y silff ben tân. Chwalodd y gwydr yn dipiau a disgynnodd Tom ar ei hyd gan daro'i ben ar garreg yr aelwyd.

Gorweddai yno'n anymwybodol.

"Tom! Tom!" gwaeddai Catrin.

Rhyngddynt, llwyddodd y ddau i'w gario i'w wely. Roedd wedi taro'i dalcen ar garreg yr aelwyd ac roedd clais du-las yn dechrau ffurfio ar y chwydd uwchben ei lygad.

"Well i ni ga'l y doctor ato fo. Mi dria i i ga'l o rownd," meddai Catrin wrth Johnny.

Roedd hi awr a hanner yn ddiweddarach pan gyrhaeddodd Johnny gyda Dr Evans. Erbyn hynny roedd Tom wedi dadebru ac yn wylo'n hidl yn ei wely, ac roedd Catrin wedi ceisio'i gorau i lanhau'r tameidiau gwydr a oedd wedi disgyn o amgylch y grât. Eisteddai Catrin yn awr yn ymyl Tom, yn taro cadach gwlyb ar ei ben, ac yn ei gofleidio fel baban.

Gwnaeth y doctor arwydd arni hi a Johnny i'w adael, ac aeth ati i'w archwilio.

Aeth Catrin Hughes yn ei hôl i'r gegin ac edrych unwaith eto rownd y grât rhag ofn bod darnau eraill o wydr nad oedd hi wedi llwyddo i'w codi. Ymhen rhyw ugain munud daeth y doctor yn ei ôl i'r gegin.

"Mae o'n cysgu rŵan – dw i wedi rhoi dos fach iddo fo – a chysgu y bydd o am rai oriau."

"Ydi o wedi brifo?"

"Mae'n rhy fuan i ddweud yn iawn, ond mae o wedi cael cnoc go hegar i'w ben."

"Fydd o'n iawn?"

"Mi ddaw ato'i hun… roedd yn ddrwg gen i glywed am Hugh. Fydd hynny ddim help iddo fo, ddim yn ei gyflwr o."

"Fasa'n well i ti fynd i fyny i Dyrpeg Ucha, Johnny?"

"Mi a' i'n y munud…"

"Dos rŵan!" Doedd Johnny ddim yn disgwyl clywed y min ar lais ei fam. "Plis?" ychwanegodd.

"Rhaid i minna fynd hefyd," meddai'r doctor gan godi.

"Na! 'Rhoswch am funud os nad ydach chi'n meindio."

A dyna pryd y sylweddolodd Johnny mai eisiau iddo fynd o'r ffordd yr oedd ei fam. Ni ddywedodd air, dim ond codi a gadael.

Ychydig iawn o'i siwrnai i Dyrpeg Ucha a gofiai Johnny, ond roedd o'n cofio cnocio'r drws, ac Evan yn sefyll yno'n edrych yn hurt arno. Yntau'n methu deud dim ond "Hugh!" a beichio crio.

Cofiai freichiau Evan yn cau amdano ac yn ei hanner cario i'r gegin. Cofiai Miriam yn gwthio cwpanaid o ddŵr rhwng ei wefusau. Cofiai dagu ar y dŵr, a chofiai weld Elin yn un swp yn y gadair yn y gornel.

"Mae'n arw arnach chi, Johnny bach!" meddai Miriam, gan gnoi a chnoi ei ffunan bocad. "Sut mae dy dad a dy fam?"

A dyna pryd y dywedodd yr hanes i gyd wrthyn nhw.

Er iddo ddal llygaid Miriam fwy nag unwaith, ni ddangosodd hi iddo fod dim yn wahanol i'r arfer. Roedd fel petai prynhawn Sadwrn heb ddigwydd. Ymhen rhai munudau, roedd wedi dod ato'i hun yn eithaf. Erbyn hynny roedd Miriam yn dechrau rhoi gorchmynion.

"Evan, mi awn ni i gyd i lawr i Gae Cudyll. Mi gei di fynd rownd yr anifeiliaid hefo Johnny, ac mi gaiff Elin a finna wneud be fydd raid i Catrin."

O fewn awr i Johnny adael, cyrhaeddodd y pedwar Gae Cudyll.

Roedd Dr Evans wedi gadael, ac roedd Catrin Hughes yn amlwg wedi bod yn wylo. Miriam oedd y cyntaf i'r tŷ, a gafaelodd yn dynn am ei chymdoges.

"Ddrwg gin i glywad, Catrin. Ddrwg iawn gin i glywad."

Troi ei chefn a wnaeth Miriam pan aeth Evan at Catrin. Roedd y llifddorau wedi agor erbyn hynny ac Evan yn dal Catrin yn dynn yn ei freichiau. Pan droes Miriam yn ei hôl roedd Elin yn tywys Catrin yn ôl i'w chadair.

"Elin annwyl! Be ddaw ohonan ni dywed?"

Bu distawrwydd annifyr am funud.

"Ydi Tom yn effro?" holodd Evan.

Ysgydwodd Catrin ei phen.

"Mi fydd yn cysgu am rai oriau eto meddai Dr Evans."

"Mi aiff Evan hefo Johnny i wneud beth bynnag sydd ei angen – mi fedar Elin a finna dy helpu di yma."

"Does yna ddim byd i'w wneud 'sti."

Amneidiodd Miriam ar Evan i fynd allan.

"Tyrd, Johnny, mi awn ni i'r buarth. Mi wnaiff yr awyr iach les i ti."

Pan welodd lygaid ei mam arni, ildiodd Elin hefyd.

"Mi ddo i hefo chi," meddai, ac aeth y tri allan.

Pan glywodd y drws yn cau ar eu holau aeth Miriam at Catrin ac edrychodd ym myw ei llygaid. Drwy'r cochni, gwyddai mai llygaid euog a syllai'n ôl arni. Ond nid dial oedd bwriad Miriam. Gwenodd, a gafaelodd yn llaw Catrin.

"Rydw i'n gwybod, Catrin. Rydw i'n gwybod popeth."
Dywedodd hynny'n dawel.

Ochenaid o ryddhad a ddaeth o enau Catrin. Gwybod popeth? Ond sut? Os nad oedd Evan wedi dweud hynny wrthi? Ond fasai Evan byth yn dweud! Fasai o byth yn dweud popeth!

Roedd hi eisiau gofyn 'Gwybod beth? Gwybod faint?' Ond doedd y geiriau ddim yn dod. Estynnodd Miriam fys, a'i roi ar ei gwefusau.

"Paid â deud dim! Mi wnawn ni ei gadael hi ar hynna. 'Dan ni'n dallt ein gilydd? Iawn?"

Nodiodd Catrin.

* * *

Gwyddai Johnny ei fod o'n troi'r fuddai'n rhy gyflym a ffyrnig ond doedd dim ots ganddo. Tasgai'r chwys oddi ar ei dalcen a theimlai'i gorff a'i ddillad yn wlyb ac yn annifyr.

"Johnny?"

Llais Elin, ond daliai'i law yn gadarn yn handlen y fuddai ac roedd honno'n chwyrlïo bron yn rhy gyflym iddo ddal ei afael ynddi erbyn hyn. Teimlodd law ar ei ysgwydd, ac arafodd.

Doedd o ac Elin ddim wedi cael cyfle i fod ar eu pennau eu hunain ers derbyn y telegram.

"Beth am fynd am dro?"

"Fedra i ddim gadael hwn ar ei hanner..."

"Medri! Hanner awr..."

A mynd ddaru nhw. I gyfeiriad Tir Neb.

* * *

Uwchben eu brecwast yr oedd Catrin a Johnny, ac aethai chwe diwrnod heibio er pan gyraeddasai'r telegram.

"Ydi Dad wedi deffro?"

"Doedd o ddim pan rois i 'mhen i fewn yn y parlwr gynnau fach. Ond wyddost ti fel mae o rŵan..."

Roedd yna ddegau o gymdogion a ffrindiau wedi galw yn Nghae Cudyll yn ystod y dyddiau diwethaf, ond cyndyn fu Tom i weld neb. Rhyw droi ar ei ochr ac esgus cysgu a wnâi o.

Edrychodd Johnny a'i fam ar ei gilydd pan glywsant gnoc ar y drws. Roedd hi'n gynnar braidd i rywun alw. Aeth Johnny at y drws.

Pan ddaeth yn ei ôl cariai barsel wedi'i lapio mewn papur llwyd. Roedd marc post swyddogol y llywodraeth arno. Ynddo roedd llythyr oddi wrth gadlywydd y gatrawd. Yn y parsel hefyd roedd eiddo personol Hugh.

Â dwylo crynedig gafaelodd Catrin yn y llythyr a'i ddarllen.

Dear Mr and Mrs Hughes,

By now you will have received official notification that your dear son Hugh was killed in action on 15th inst.

I hereby enclose his personal belongings, which were removed from his body prior to his burial.

He was much loved and wise beyond his years. I hope that it will be at least some comfort for you to know that he died bravely, doing his duty for his King and Country. As I understand it, he died instant-aneously whilst leading a troop of men against an enemy machine-gun post. Along with his other comrades, he was buried where he fell. He was one

of our best men, and it is a real loss to the battalion.
He will be genuinely missed by us all.
   Deepest sympathy,
   A.Arthur (Comm).

Ond yr hyn a dorrodd ei chalon oedd gweld ymhlith ei fanion personol lythyr oddi wrtho atyn nhw. Ei lythyr olaf.

Annwil Mam a Dad a Hugh,

Hwn iw llythir ola Pidiwch a hidio mod in dyrysu o achos mae petheu yn o arw arnai. Y rwyf wedi bod yn gweddio am nerth y goruchaf ac yn barod yrwan i wneuthur yr hyn a dybiaf ysydd iawn. Ma geiria Dad yn llenwi mhen i am bobol wullt a gwaud a darnau cyrph dynion a hogiau. Diom yn iawn. Byth. Dim yn medru dal dim mwy o hyn mam. Nid drwg fydd pob newydd a gewch amdanaf ac ichwi gadwch ffydd. Y rwyf yn sgwenni hwn ar penblwyth Elin felly gobithio i chi fod yn dyall er ei bod yn arw arnai mai gwaeth yw hi ar erill sy'n gorwedd yn y pridd yn ffosydd France. eich mab annwil Hugh Hughes.xx

Aeth Catrin drwodd i'r parlwr i weld a oedd Tom wedi deffro.

"Tom?"

Cododd Tom ei ben.

"Sut wyt ti heddiw?"

Buasai Tom yn uffern ac yn ôl yn ystod y dyddiau diwethaf. Johnny a ddywedodd wrtho'r hyn yr oedd wedi ei wneud â'i ffon, a sut y cafodd ei anaf. Yr unig ffaith oedd wedi ei serio ar ei gof oedd fod Hugh wedi marw, a'i fod o yn dawel fach yn ei feddwl wedi deisyfu hynny sawl tro. Rŵan, yr unig beth a ddeuai i'w feddwl oedd y pethau yr oedd o wedi'u dweud wrth Hugh cyn iddo adael. Ac roedd o wedi sylweddoli mai'r anifail ynddo fo a fu'n gyfrifol am hynny. Onid oedd wedi cysuro'i hun gydol y blynyddoedd ei fod o wedi newid? Pan drechodd yr awydd hwnnw i blannu picwarch yng nghefn Evan Tyrpeg Ucha, a maddau iddo fo a Catrin am yr hyn a ddigwyddodd yn Nhir Neb, roedd o'n argyhoeddiedig bod yr elfen honno yn ei gymeriad wedi'i lladd am byth, ond roedd ei drais geiriol wedi bod yn llawer mwy pellgyrhaeddol nag unrhyw drais corfforol. A rŵan roedd hi'n rhy hwyr.

"Mae yna lythyr wedi dod oddi wrth gadlywydd Hugh, a pharsel o'i bethau personol," meddai Catrin.

Troi ar ei ochr a wnaeth Tom, a syllu at y pared.

"Wyt ti isho codi?"

Atebodd o mohoni, dim ond dal i syllu ar y pared. Aeth hithau'n ôl i'r gegin at Johnny.

"Mae o wedi deffro, ond yn deud dim."

" 'Dach chi isho i mi fynd ato fo?"

"Dos di i odro. Mi ddaw ato'i hun toc. Mi wna i fymryn o frecwast iddo wedi clirio'n fa'ma."

Wedi i Johnny ei gadael eisteddodd Catrin i synfyfyrio. Am unwaith teimlai nad oedd yn werth byw. Roedd bywyd iddi'n un chwalfa fawr. Roedd hi fel llong heb angor. Yn cael ei thaflu o don i don, a hithau ar drugaredd pob chwa o wynt a ddeuai heibio.

Cawsai fwrw'i bol i Dr Evans, a bu hynny'n ryddhad iddi, ond roedd y ffaith i Miriam ddweud wrthi ei bod hi'n 'gwybod popeth' wedi ei thaflu oddi ar ei hechel wedyn.

Ble roedd hynny'n ei gadael hi ac Evan? Pam na fuasai hwnnw wedi ceisio'i gweld ar ei phen ei hun? Ond beth fedrai ddweud wrtho? Ni fedrai Catrin ddirnad sut y gallai Miriam wybod dim heb fod Evan wedi dweud rhywbeth wrthi. Ai dyna pam yr oedd o'n cadw draw?

Deuai Elin a Miriam heibio'n ddyddiol i'w gweld, ond ni bu gair pellach rhyngddi hi a Miriam am yr hyn a ddywedwyd yn gynharach.

Yn ôl eu harfer, cyrhaeddodd y ddwy ganol y bore.

"Mae pethau Hugh bach wedi cyrraedd," meddai Catrin wrth y ddwy pan gyraeddasant. "Mae 'na lythyr yna. Roedd o wedi'i sgwennu o cyn... cyn iddo fo gael ei ladd, ond heb gael cyfle i'w anfon o."

Estynnodd yr amlen i Elin.

Bu tawelwch am ennyd. Darllenodd ac ailddarllenodd Elin y llythyr, yna'n sydyn datganodd, "Dydi Hugh ddim wedi marw!"

"Elin!" gwaeddodd Miriam ar draws y bwrdd.

"Dydi o ddim wedi marw! Sbïwch!"

Darllenodd Elin yn uchel.

" 'Annwil Mam a Dad a Hugh,' mae o wedi rhoi'i enw'i hun yn lle enw Johnny ar y llythyr!"

Cododd Catrin o'i chadair a mynd at Elin. Edrychodd ar y llythyr. "Drysu roedd y creadur."

"Nage, gwrandwch eto! 'Y rwyf yn sgwenni hwn ar penblwyth Elin felly gobithio i chi fod yn dyall er ei bod yn arw arnai mai gwaeth yw hi ar erill sy'n gorwedd yn y pridd yn ffosydd France.' Fedar o ddim bod wedi marw!"

"Elin!"

"Ond mae o'n deud 'Y rwyf yn sgwenni hwn ar penblwyth Elin...' Pythefnos yn ôl oedd hynny. Ar y 26ain dw i'n cael fy mhen blwydd. Mae llythyr y dyn yna'n dweud ei fod o wedi'i ladd ar y 15fed. Negas gan Hugh ydi'r llythyr yma yn deud ei fod o'n fyw!"

Bu Miriam a Catrin yn fud am funud.

"Sbïwch eto! 'Nid drwg fydd pob newydd a gewch amdanaf…' "

Gafaelodd Catrin yn ffyrnig yn y llythyr o ddwylo Elin a chraffodd arno. Roedd ei chalon wedi dechrau curo'n gyflym. Oedd hi'n dychmygu'r peth? Na, roedd o yna mewn du a gwyn. Pam galw Johnny'n Hugh? Pam nodi'r union ddiwrnod yr oedd o'n sgwennu, doedd o ddim wedi gwneud hynny o'r blaen? Oedd Hugh wedi ffugio'i farwolaeth? Feiddiai hi ddim credu hynny, ac eto…

Rhedodd i'r drws cefn, ei agor a gweiddi, "Johnny! Johnny!"

Bu pawb yn astudio'r llythyr yn ofalus ac yn dadansoddi pob gair ohono. A'r un oedd y casgliad y deuai pawb iddo. Roedd Hugh yn dal yn fyw. Roedd yna ormod o anghysonderau i'w dehongli mewn unrhyw ffordd arall.

Roedd hyd yn oed Tom wedi bywiogi drwyddo.

"Estyn ei lythyrau eraill o!" gorchmynnodd wrth Catrin.

Gwnaeth hithau hynny. Bu Tom yn eu hastudio am funudau cyn dweud, "Dydi o ddim yn nhoriad 'i fogal o i fod yn soldiwr, ond myn diawl, mi wranta i mai wedi denig y mae o!"

"Sut w't ti'n dweud hynny?"

"Roedd o'n un o'r detail claddu cyrff. Sbia! Mae o'n deud yn fa'ma – 'Cyn claddu rydym yn tynnu identity disc a phethau o bocedi dynion i'w gyrru adra' – dyna be mae o wedi'i wneud i chdi! Wedi rhoi ei betha'i hun i'w gyrru adra, ac wedi rhoi'r llythyr yma hefo nhw! Ac wedi cymryd y goes!"

"Ond i le? A sut fasa fo'n denig?"

"Os caiff ei ddal, mi gaiff ei saethu."

"Tom!"

* * *

Bu ceisio dygymod â'r posibilrwydd bod Hugh yn fyw yn straen ac yn obaith i deulu Cae Cudyll ac fe ddaeth y cadarnhad, nid drwy'r post, ond trwy ymweliad gan un o swyddogion y fyddin.

Soniwyd yr un gair am eu amheuon, ond roedd dagrau Catrin pan ddywedodd ei newydd yn ddagrau o lawenydd.

Roedd Hugh wedi'i saethu yn ei goes ac wedi'i anafu'n ddifrifol yn ei ben ac fe gymerai beth amser iddo wella. Rhaid bod rhywun wedi tybio'i fod wedi marw ac wedi rhoi ei ddisg adnabod a'r manion oedd yn ei boced mewn amlen i'w hanfon at ei deulu. Ymddiheurai'n arw am y camgymeriad, ond roedd Hugh ar ei ffordd adref. Byddent yn derbyn llythyr swyddogol o ysbyty yn Southampton pan gyrhaeddai Hugh yno o Ffrainc.

* * *

"Wel? Be mae o'n 'ddeud?" rhuodd Tom o'i gornel.

Caeodd Catrin y llythyr yn ofalus.

"Mae Hugh wedi cyrraedd yr hosbitol yn Southampton ers dydd Llun, ac yn cael ei symud i fyny i'r hosbitol yn Nimbach ddydd Iau. Mae yna ryw Dr Hitchinson o Lundan yn dod hefo fo bob cam ..."

"Be mae o'n disgw'l i ni 'neud am hynny?"

"Mi fydd yn rhaid i ni fynd i'w weld o..."

"Sut ddiawl ydw i i fod i fynd i Ddimbach?"

Roedd wyneb Tom yn fflamgoch, a Catrin yn rhag-weld ffrae arall.

"Mi fydd yn rhaid i mi fynd felly'n bydd?"

"Mi dria i ddod hefo chi, Mam," meddai Johnny'n dawel, ond doedd Tom ddim am ei gadael yn fan'no chwaith.

"A phwy sy'n mynd i edrach ar ôl y lle 'ma? Ac edrach ar f'ôl i, os ca i fod mor hy â gofyn hynny?"

"Un d'wrnod fydd o, Dad."

"Mae pob d'wrnod yn cyfri, a'r gaea 'ma ar ein gwarthaf ni, Johnny!"

"Mi ddo i hefo chi, Catrin," meddai Elin.

Bu distawrwydd am ennyd. Edrychodd Johnny mewn anghredinedd i gyfeiriad Elin, ond roedd hi'n edrych ar y llawr. Roedd Catrin hefyd wedi'i tharo'n fud am eiliad. Ymddangosai mai Tom oedd yr unig un bodlon yn eu mysg, a fo a dorrodd ar y distawrwydd.

"Dyna hynna wedi'i setlo 'ta!"

Tynnodd Johnny'i wynt yn siarp i'w ysgyfaint drwy'i drwyn a'i ollwng allan drachefn. Brathodd fymryn ar ei wefus. Edrychodd yn hir ar ei dad, yna ar Elin. Trodd a mynd at y drws, ei agor a chamu allan i'r nos. Clepiodd y drws ar ei ôl ac am yr ail waith o fewn ychydig funudau, teyrnasodd distawrwydd dros yr ystafell.

"Mi a' i ar ei ôl," meddai Elin mewn llais bach, a dilyn Johnny allan i'r buarth.

Wrth i'w llygaid ymgynefino â'r tywyllwch y tu allan, gwelai Elin Johnny yn pwyso â'i gefn ar wal y tŷ. Er iddo droi i edrych i'w chyfeiriad, troi'n ôl a wnaeth o ac edrych i fyny i'r awyr. Aeth Elin ato. Doedd hi ddim yn siŵr iawn sut i gychwyn.

"Be sy'n corddi dy dad heno?" gofynnodd.

"Mae o fel'na ers wsnosa."

"Be sy'n dy gorddi di, 'ta?"

"Dim byd, Elin, dim byd!"

"Roedd yn rhaid i rywun fynd hefo hi, Johnny. Fedran ni ddim disgwyl iddi fynd ar ei phen ei hun, a doedd dy dad ddim am adael i titha fynd chwaith!"

"Ond pam chdi, Elin?"

"Pwy arall fedra fynd? Glywist ti be ddeudodd dy dad? Meddwl 'mod i'n helpu o'wn i!"

Bu ysbaid o dawelwch.

"Be ddeudi di wrtho fo?"

Roedd y cwestiwn hwnnw wedi croesi meddwl Elin ganwaith. Roedd hi wedi ceisio ei ateb mor onest ag y gallai ond mewn gwirionedd fedrai hi ddim. Dim hyd nes y deuai wyneb yn wyneb â Hugh.

"Be fedra i ddeud wrtho fo?"

"Deud y gwir?"

"Dw i wedi deud hynny yn fy llythyr."

"Ti ddim yn gw'bod ei fod o wedi ca'l hwnnw."

"Os na chafodd o fo... dw i ddim yn gw'bod, Johnny. Ella na neith o'm dallt. Roedd llythyr y doctor yn dweud nad oedd o o gwmpas 'i betha."

Estynnodd Johnny ei law a gafael ym mraich Elin.

"Wnaiff hyn ddim dod rhyngom ni, na wnaiff?"

"Be ti'n 'feddwl?"

"Y ffaith bod Hugh adra... a ti'n gw'bod, fel oeddach chi cyn iddo fo fynd i ffwrdd..."

Gwenodd Elin arno, ond roedd ei llais yn crynu wrth ei ateb.

"Chdi dw i'n ei garu, dw i'n addo hynny i ti, Johnny. Wna i ddim torri'r addewid honno."

Tynnodd Johnny hi ato. Gafaelodd amdani a'i gwasgu'n dynn. Cusanodd hi'n dyner.

"Wna i ddim gadael i neb na dim ddod rhyngom ni, Elin. Neb na dim!"

Crynodd Elin.

Chysgodd hi ddim drwy'r nos. Roedd wedi troi a throsi drwy'r oriau mân, a hunllefau am ei chyfarfyddiad â Hugh drannoeth wedi ymlid ei chwsg ymhell bell i ffwrdd. Beth byddai hi'n ei ddweud wrtho? Beth medrai hi ei ddweud wrtho? Rhag ofn nad oedd wedi cael ei llythyr, roedd wedi paratoi rhes hir o atebion:

'Rydw i a Johnny'n canlyn...'

'Ond roeddat ti wedi "marw", Hugh...'

'Chdi fynnodd fynd i'r Rhyfal...'

'Fe dorrodd fy nghalon pan est ti...'

'Wnest ti feddwl am fy nheimladau i cyn listio?'

'Be w't ti'n ddisgwyl i eneth rydd ddeunaw oed ei wneud?'

'Roeddat ti wedi marw!'

'Marw!'

'MARW!'

Roedd y cyfan yn troi a throsi yn ei meddwl. Roedd hi wedi rihyrsio pob llinell, pob ateb i bob cwestiwn. Roedd hi hefyd wedi dod i'r casgliad mai gyda Johnny yr oedd ei dyfodol. Nid nad oedd yna iasau yn mynd i lawr ei hasgwrn cefn weithiau wrth iddi oedi a chofio am yr oriau a dreuliodd gyda Hugh. Roedd hi wedi ail-fyw pob eiliad bron, ac er felysed y cof a'r ailflasu, roedd Hugh wedi dewis ei gadael hi. Mynd o'i wirfodd nid o'i anfodd. Mynd a'i gadael ar drugaredd ei hansicrwydd a'i hofnau.

Rŵan, fodd bynnag, roedd hi'n sicr ei bod yn gwneud y penderfyniad iawn. Rhaid oedd iddi hithau dros-glwyddo'r sicrwydd hwnnw i Johnny. Yn wahanol iawn i'w frawd iau, roedd o'n ymddwyn fel hogyn bach ansicr iawn ar brydiau.

* * *

"Dewch i mewn!"

Pan gerddodd Catrin ac Elin i mewn i'r swyddfa, gwelsant ŵr bychan, eiddil yr olwg, yn sefyll ar ei draed y tu ôl i'w ddesg. Roedd ces lledr agored ar y ddesg. Caeodd y doctor y ces a chamu atynt.

"Mrs Hughes? Dr Emile Hitchinson." Estynnodd ei law i Catrin. Roedd ei law yn oer ac yn feddal.

"Dyma Elin Pritchard," meddai Catrin wrtho.

Ysgydwodd ei llaw hithau.

"Miss Pritchard. Chi ydi cariad Hugh?"

Gwridodd Elin. Ysgydwodd ei phen.

"Rydw i'n ffrind i'r teulu," eglurodd yn gloff.

Nodiodd y meddyg ei ddealltwriaeth. Cerddodd yn ôl at ei ddesg, ac amneidio ar y merched i eistedd.

Estynnodd ddalen o bapur o'i ges a'i gosod yn ofalus ar y bwrdd o'i flaen. Darllenodd ychydig cyn codi ei olygon

"Does yna neb yn siŵr iawn be sydd wedi digwydd i Hugh," eglurodd, gan edrych o'r naill i'r llall. "Rhywsut, fe aeth ar goll ynghanol yr ymladd ar y ffrynt. Mae'n bosib bod rhywun wedi meddwl ei fod yn farw, ac wedi tynnu ei ddisg adnabod a rhoi'i bethau personol mewn amlen. Mae un peth yn sicr. Mae o wedi cael anaf go ddrwg i'w ben. Mae yna ddarn o shrapnel yn dal yn sownd yn ei ben, a dyna sy'n... dyna sy'n... gyfrifol am y cyflwr y mae o ynddo fo rŵan."

Roedd y ddwy yn gwrando'n astud ar yr hyn a ddywedai'r meddyg. Synhwyrai Catrin fod gwaeth i ddod.

"Be 'dach chi'n 'feddwl wrth 'y cyflwr y mae o ynddo fo rŵan'?" holodd.

"Rydw i'n ceisio eich paratoi chi ar gyfer gweld Hugh, Mrs Hughes. Eich paratoi chi i fod yn barod i weld newid mawr yn ei gymeriad o..."

Am eiliad aeth pob math o bethau erchyll drwy feddwl Catrin Hughes. Oedd ei mab yn gyfan o gorff? Oedd o wedi troi'n greadur treisgar? Yn llofrudd? Oedd o wedi cael dileit mewn lladd milwyr, a'i orfodi i ddod adref?

Meddyliau felly hefyd a wibiai drwy feddwl Elin. Oedd Hugh wedi troi'n wyllt? Oedd o efallai wedi cael ei llythyr un bore cyn mynd dros y top, ac wedi colli'i ben yn lân? Ai arni hi yr oedd y bai am ei salwch? Fyddai o rŵan yn dial arni hi a Johnny?

Torrodd y doctor ar draws eu meddyliau.

"Mae Hugh fel… fel plentyn bach," eglurodd. "Mae 'na rywbeth wedi digwydd sy'n golygu ei fod wedi torri ei gysylltiad â'r presennol yn llwyr. Mae o fel petai o wedi blocio'r cyfan o'i feddwl. Weithiau, dim ond weithiau, y bydd o'n rhyw hanner cofio rhai pethau."

Wyddai Elin ddim ai ebychiad o ryddhad neu o syndod a groesodd ei gwefusau. Gafaelodd Catrin yn ei braich.

"Lle mae o, Doctor? Gawn ni'i weld o plis?"

Cododd y doctor ac amneidio ar y ddwy i'w ddilyn. Aeth â nhw ar hyd y coridor, ac wedi datgloi un o'r ystafelloedd, agorodd y drws a'u hannog i fynd i mewn. Catrin oedd y gyntaf drwy'r drws. Ystafell fechan foel oedd hi, a gwely a chadair yr unig ddodrefn ynddi. Eisteddai Hugh ar y gadair ger y gwely.

"Hugh?"

Cododd Hugh ei ben, ac am ennyd edrychodd ar y dieithriaid a oedd gyda'r doctor. Yna gwyrodd ei ben drachefn. Rhoddodd ei ddwy law ar ei bengliniau, a hoeliodd ei lygaid ar smotyn anweledig ryw droedfedd o flaen ei draed.

"Hugh? Mam sy 'ma. Mam ac Elin." Nesaodd y ddwy gyda'r doctor. Gwasgai Catrin Hughes fraich Elin.

"Hugh," meddai'r doctor. "Mae dy fam ac Elin wedi dod i dy weld ti."

Chododd Hugh mo'i ben.

" 'Dan ni yma, Hugh," meddai Elin.

"Corp'ral Gayle, Coy, Jaci bach, Kelly... wedi marw."

" 'Ngwas annwyl i!"

Taflodd Catrin Hughes ei hun ato. Gafaelodd amdano a beichio wylo. "Hugh! 'Nghariad annw'l i! Mam sy 'ma!"

Rhewodd Hugh. Gwthiodd hi oddi wrtho a chodi ar ei draed. Martsiodd at y drws.

"Ten-shun!" bloeddiodd. "Company A! Fix bayonets! On my first whistle you will assemble at the foot of your nearest ladder, on my second whistle you will follow your corporal over the top. Understood? Yes sir! Yes sir! Yes sir!"

"Hugh!" Rhoddodd y doctor ei law ar ei fraich. "Hugh! Tyrd rŵan..." ac fe'i harweiniodd yn ôl at ei gadair.

Pennod 7

"RWYT TI'N DAWEL IAWN, Elin?" meddai Johnny.

"Ydw i?"

"Ydi'r ffaith bod Hugh yn ôl yn dy boeni di?"

"Dim tra mae o fel mae o."

"Ac os gwellith o? Fydd hynny'n dy boeni di?"

Edrychodd Elin arno, ac estyn ei llaw a'i rhoi ar ei wyneb.

"Na fydd, Johnny, fydd hynny ddim yn fy mhoeni i. Mae beth oedd rhwng Hugh a finna wedi gorffen. Mi orffennodd y diwrnod y penderfynodd o ymuno â'r fyddin."

Tro Johnny oedd estyn llaw rŵan. Gafaelodd yn nwy law Elin.

"Dwed wrtha i beth sy'n bod 'ta."

"Mae pob dim mor gymhleth!"

"Be? Beth sy mor gymhleth?"

"Sefyllfa Dad a Mam."

"Sut mae hynna'n effeithio arnom ni?"

Oedodd Elin cyn ateb.

"Johnny, dydw i ddim isho dim cyfrinachau rhyngom ni… a dyna sy'n bod acw, dydy Dad a Mam ddim yn onest hefo'i gilydd, ac o'r herwydd mae'n nhw'n methu siarad am eu problemau."

"Oes gynnon ni broblem felly?"

"Oes."

Am eiliad gwibiodd pob mathau o bethau drwy feddwl

Johnny. Oedd Elin ar fin dweud wrtho rywbeth am Hugh? Doedd hi erioed wedi cyfarfod rhywun arall? Ond roedd hi newydd ddweud wrtho...

Efallai mai gweld y benbleth ar ei wyneb a barodd i Elin fynd yn ei blaen.

"Os dyweda i rywbeth wrthyt ti, wnei di ei gadw fo'n gyfrinach?"

"Gwnaf. Wrth gwrs y gwna i!"

"Wnei di ddim deud wrth yr un enaid byw?"

"Na wnaf! Rydw i wedi rhoi 'ngair i ti."

"Mi wnes i ddilyn Dad adre o Langefni un nos Sadwrn, y nos Sadwrn honno pan ddest ti i 'nghyfarfod i ar y llwybr."

Wrth gwrs roedd Johnny'n cofio. Dyna'r noson gyntaf iddo afael amdani a'i chusanu. Y noson y buodd o yn Nhyrpeg Ucha pan afaelodd...

"Roedd o'n dod adre'n gynnar o'r dre, ac yn cyfarfod dynes arall ar Dir Neb!"

"Be?"

"Dyna pam oeddwn i'n rhedeg adre'n crio, Johnny!"

Gafaelodd Johnny amdani.

"Pam na fuaset ti wedi dweud wrtha i 'nghynt? 'Ti wedi cadw hyn i chdi dy hun?"

Roedd ei phen ar ei ysgwydd a Johnny'n gafael yn dynn amdani.

"Mae'n waeth na hynna, Johnny!"

"Pam na fuaset ti wedi deud ynghynt?"

"Cyfarfod dy fam oedd o!"

"Be?" Gafaelodd yn ei hysgwyddau a'i dal led braich oddi wrtho. "Be?"

"Cyfarfod dy fam oedd o, ac fe fuon nhw'n cofleidio'i gilydd ar lwybr Tir Neb, cyn mynd dros y ffens i'r coed."

Gwasgodd Johnny ei law dde yn ddwrn, a rhoddodd ddarn o'i fys yn ei geg. Brathodd yn galed.

"Ma'n ddrwg gen i, Johnny, ond roedd yn rhaid i mi ddeud wrtha chdi."

"Mam! Hefo dy dad?"

"Plis wnei di ddim deud? Na wnei?"

"Na! Wna i ddim deud, Elin."

Gafaelodd Elin amdano a'i wasgu'n dynn. Cusanodd ef yn hir cyn sylweddoli'n sydyn ei fod yn ysgwyd i gyd.

* * *

Roedd dydd dychwelyd Hugh i Gae Cudyll yn dynesu, ac yn destun llawenydd i Catrin. Roedd y mynych deithio yn ôl ac ymlaen i Ddinbych yn dechrau dweud arni.

Oherwydd anabledd Tom, Johnny fyddai'n hebrwng ei fam fel rheol i lawr i'r dre at y steshon, ond ar fwy nag un achlysur yn ddiweddar roedd Evan Tyrpeg Ucha wedi cynnig, ac oherwydd prysurdeb Johnny, roedd Catrin wedi derbyn.

Ond roedd Johnny wedi mynd yn gysetlyd iawn yn ystod y dyddiau dweutha 'ma. Dau beth a ddaethai i feddwl Catrin wrth ei weld weithiau'n rhythu i unman yn ddwfn yn ei feddyliau.

Gwyddai'n iawn fod Elin a Johnny wedi dod yn agos at ei gilydd, ac roedd hi'n gwybod hefyd am yr hen berthynas a oedd wedi bodoli rhwng Elin a Hugh. Oedd o'n poeni am hynny tybed? Neu efallai am fod Elin yn hwylio i fynd am y coleg i Fangor.

Gwyddai hefyd fod adroddiadau wedi dechrau ymddangos yn y wasg bod gorfodaeth filwrol ar y ffordd, ac roedd yn sicr bod y posibilrwydd hwnnw wedi croesi meddwl Johnny hefyd. Ond roedd Catrin yn dawel ei meddwl y byddai gan Johnny resymau diogel dros gael ei esgusodi. Roedd ei dad a'i frawd yn gyn-filwyr wedi'u clwyfo. Byddai'n rhaid i rywun ofalu am y fferm.

Ond doedd dim ots ganddi heddiw hyd yn oed am hynny; i Catrin, y peth pwysicaf oedd fod Hugh yn fyw, a'i fod yn dod adref.

Daethai Catrin â chadair esmwyth o'r parlwr a'i gosod ger cadair Tom wrth y simdde. Doedd dim ots yn y byd ganddi y byddai'n dawnsio tendans ar ddau o hyn allan.

* * *

Daethai sawl un o'r cymdogion draw i Gae Cudyll i weld Hugh yn ystod y mis cyntaf y bu gartref, ond ysgwyd eu pennau'n drist a wnaent bob un wrth adael.

"Cr'adur bach iddo fo..."

" 'Di gweld petha mawr ma'n rhaid..."

"Rhyfal 'ma 'di gneud smonach mawr o'i feddwl bach o..."

"Digon llegach 'di o 'ntê?"

Ac yntau wedi bod gartref am fis, roedd rhyw fath o normalrwydd wedi dechrau dychwelyd i Gae Cudyll. Eisteddai Hugh yn gysurus ddigon wrth y tân yn y gadair freichiau, ond doedd dim gair i'w gael ganddo o un pen dydd i'r llall. Eisteddai yno'n dawel, a'i gap pig ar sgiw ar ei ben, a'i ddwy law ar ei bengliniau. Gwyrai yn ei flaen, ac ysgydwai'n ôl ac ymlaen, yn ôl ac ymlaen.

Roedd ei lygaid wedi'u hoelio ar ryw fodfedd sgwâr hudolus a oedd ryw droedfedd y tu hwnt i'w draed. O fewn y fodfedd honno roedd popeth yn digwydd. Yn y fodfedd honno y gwelai lygaid soserog Corporal Gayle. Yn y fodfedd honno yr oedd yr holl laid, a'r gwaed, a'r cyrff, a'r baw, a'r darnau o gyrff, a'r afon o fwd a gwaed, y mwg drycsawr, sgrechian y *shells*, chwibaniad y shrapnel a'r fflawiau haearn. Yn y fodfedd honno y bu farw Coy. Yno hefyd y bu yntau'n hedfan.

. Weithiau, dechreuai gwefusau Hugh grynu. Yn y fodfedd bryd hynny, roedd o'n gweld wyneb ei sarjant a chlywed y chwibanogl cyn y gorchymyn i fynd dros y top. Pan welai a phan glywai hynny, byddai Hugh yn neidio ar ei draed, sythu'i gap pig, a gweiddi nes byddai distiau'r tŷ yn diasbedain. "Yesss sirrr!" bloeddiai.

Yn ddieithriad rhedai Catrin ato a cheisio'i gysuro a'i gael i eistedd yn ei ôl.

"Ista, Hugh bach!"

"Yesss sirr!" bloeddiai yn ôl arni.

"Ista, 'ngwash i."

Ac fel petai'n cnoi'i snaffwl, ymdawelai Hugh, a dechreuai'r dagrau gronni yn ei lygaid. Eisteddai drachefn yn y gadair. Codai ei law, rhoi ei gap pig yn ôl ar sgiw, a llithro'n ei ôl drachefn i syllu ar ei fodfedd o fyd.

Am ychydig funudau wedyn, tra ymlonyddai, fe ddaliai'r dagrau i bowlio i lawr ei wyneb, ond dagrau diemosiwn oedden nhw. Doedd Hugh yn teimlo dim o'u tollti.

* * *

Awyrgylch annifyr iawn oedd yn Nhyrpeg Ucha. Ar fwy nag un achlysur, mewn ffraeo tanbaid, roedd Miriam wedi bygwth mynd oddi yno, a gadael Evan ac Elin i'w pethau. Aethai pethau'n ddrwg iawn yno'n hwyr un nos Sadwrn pan oedd Evan yn y dre'n ôl ei arfer, ac Elin newydd dychwelyd adre.

Synhwyrai Miriam fod rhywbeth o'i le. Doedd Elin erioed wedi bod mor dawedog â hyn o'r blaen, ac ofnai'r gwaethaf, ond ceisiodd ymddwyn mor naturiol ag y gallai er bod yna gynyrfiadau bychain yn gyrru iasau drwy'i chorff drwy'r amser. Ond roedd hi wedi cael blas ar fyw unwaith eto yn y tŷ gwair. Aethai blynyddoedd heibio ers iddi deimlo fel hyn o'r blaen ac roedd hynny'n rhoi rhywfaint o gysur yn ogystal â gwefr iddi. Ceisiodd dynnu sgwrs.

"Welaist ti Johnny heno?"

"Do."

"Sut oedd o?"

"Iawn."

"A Hugh?"

Oedodd Elin cyn ateb. Beth oedd ystyr cwestiwn fel hwnna? Ai ceisio gwneud iddi deimlo'n annifyr yr oedd ei mam? Penderfynodd beidio ag ateb.

Ochneidio a wnaeth Miriam. "Os nad wyt ti'n siarad hefo fi 'sa waeth i mi fynd ddim!" A throdd i adael yr ystafell.

"Os 'dach chi isho mynd a gadael, pam nad ewch chi? Rydach chi'n bygwth, bygwth, bygwth drwy'r amsar ond yn gneud un dim am y peth. Os 'dach chi isho mynd, EWCH!"

Roedd Miriam wedi dychryn i ffitia. Ers rhai dyddiau roedd hi'n teimlo bod Elin wedi bod yn oer tuag ati, ond doedd hi erioed wedi gweld y fath dymer ar ei merch, ac yn sicr doedd hi ddim wedi siarad fel hyn â'i mam o'r blaen.

"Aros di i mi gael dweud wrth dy dad..."

"Pam na wnewch chi rywbeth eich hun am unwaith?"

"Be sy ar dy feddwl di?"

"Gnewch benderfyniad eich hunan bach, yn lle

disgwyl wrth Dad drwy'r amsar! 'Dach chi'n deud ac yn deud eich bod chi'n gada'l er pan dw i'n cofio, ond dal yma rydach chi!"

Daeth Miriam ati nes roedd hi wyneb yn wyneb â'i merch. "Fy nghartra i ydi hwn! Y bitsh bach!"

"Ia! Dyna ydan ni yntê! Bitsh fawr a bitsh fach! Ac ma'r ddwy ohonan ni adra!"

"Gweitsia di i mi ddweud wrth dy dad."

"A be arall leciach chi ddeud wrth Dad? Mai yma hefo chi y dysgodd Johnny Cae Cudyll godi min?"

Y munud y croesodd y geiriau ei gwefusau, roedd Elin yn difaru iddi eu llefaru.

Baciodd Miriam Pritchard hanner cam, a thynnu ei braich yn ei hôl. Swingiodd, a thrawodd Elin yn galed ar draws ei hwyneb gyda chledr ei llaw. Roedd nerth bôn braich Miriam yn y beltan, a thaflwyd Elin i'r llawr gan rym yr ergyd. Cododd Miriam ei dwylo at ei cheg mewn dychryn. Beth roedd hi wedi'i wneud? Doedd hi erioed wedi taro Elin fel'na o'r blaen.

"Elin!" sibrydodd yn ffyrnig. Ond roedd Elin yn dal i orwedd yn llonydd lle y disgynnodd. Llamodd Miriam yn ei blaen a chyrcydu wrth ymyl ei merch. "Elin! Elin!" llefodd gan afael yn ei phen a cheisio'i throi ati. A dyna pryd y daeth Evan i mewn trwy'r drws.

"Be ar wynab daear...?" Yna roedd yntau'n gafael am ysgwyddau'i ferch. Gwelodd y marc coch yn codi'n glais ar ochr ei hwyneb. Roedd Miriam wedi bacio'n ei hôl.

"Wnes i erioed ei tharo o'r blaen, Evan," ymbiliodd. "Wnes i erioed ei tharo o'r blaen."

Dechreuodd Elin ddadebru.

"Cadach! Oer a gwlyb, Miriam!" cyfarthodd Evan.

Ufuddhaodd Miriam. "Ddrwg gin i, Elin!" nadodd, wrth

i Evan bwyso'r cadach i fochau ei ferch.

Agorodd y llygaid, fymryn bach i ddechrau, yna'n llawn. Edrychodd Elin ar ei thad, yna sylweddolodd ymhle roedd hi. "Be ddigwyddodd?"

"Ddrwg gin i, Elin!" nadodd Miriam drachefn.

Gorweddodd Elin yn ei hôl gydag ochenaid.

"Well i ni dy ga'l di i dy wely," meddai Evan.

"Fydda i'n iawn mewn munud."

Roedd y cyfan yn dod yn ôl iddi rŵan. Roedd hi wedi gwthio a gwthio'i mam, ac roedd honno wedi gwylltio.

Gwyddai Elin iddi fod yn fyrbwyll.

"Arna i roedd y bai, Dad!" Edrychodd ar ei mam. "Mi ddeudis i rywbeth hyll iawn, na ddyliwn i fod wedi'i ddeud."

Cerddodd Miriam at gadair, a disgynnodd yn swp arni.

* * *

Fe ddaeth ac fe aeth Awst a Medi. Roedd Johnny wedi hebrwng Elin i'r Coleg Normal, ac wedi addo mynd i'w gweld o leiaf unwaith yr wythnos. Byddai'n gwneud hynny fel arfer ar ddydd Sadwrn.

Fel y byrhâi'r dyddiau, felly hefyd amynedd Tom. Ac fe ddaeth wythnos gyntaf Hydref â'r llythyr brawychus a hirddisgwyliedig i Johnny hefyd.

Roedd o wedi arswydo o weld yr amlen felen a'r stamp swyddogol arni'n cyrraedd. Roedd o'n gwybod yn iawn beth oedd ei chynnwys cyn ei hagor. Ceisiodd gadw'i ddwylo rhag crynu, ond fedrai o ddim. Fedrodd o ddim celu hynny rhag ei fam chwaith. Rhoddodd hi'r gorau i'w golch pan welodd Johnny'n dal yr amlen yn ei law, ac yn ei hagor.

"Be 'di o, Johnny?"

"Llythyr gin y fyddin... 'and you are hereby summoned to be examined medically'... wsnos i 'fory... yn y Borth."

"Mae gen ti resymau dros wrthod."

"Fedra i ddim, yn na fedra?"

"Rhaid i rywun weithio'r tir yma a chadw Cae Cudyll i fynd!"

"A chael fy ngalw'n gonshi?"

"Wedyn ma' salwch dy dad, a Hugh."

Roedd Johnny eisiau clywed rhagor. Dyna pam yr oedd o'n hanner dadlau â'i fam. Oedd, roedd yna resymau diogel dros iddo wrthod mynd, a rhesymau oeddan nhw nid esgusion. Ond fyddai'r fyddin yn derbyn y rhesymau hynny? A beth a ddywedai Elin?

Roedd yna un peth roedd Johnny'n sicr ohono. Petai o'n mynd i ymladd, ddôi o ddim adre'n fyw. Roedd o'n argyhoeddedig o hynny. Ticed unffordd i farwolaeth fyddai mynd. Fedrai o fyth gydymffurfio â disgyblaeth filwrol. Lladd y gelyn neu farw – dyna'r dewis ar y ffrynt. Aeth ias drwyddo wrth gofio'r tri milwr yn y Bull. Dyna'r teip oedd yn y fyddin go iawn. Cannoedd ar filoedd o ddynion garw, caled oedd mor ddi-hid o fywyd a chyd-ddyn. A rŵan roedd y llywodraeth yn gorfodi cannoedd o filoedd o ffermwyr a glowyr a chwarelwyr i ymrestru. Gorfodi hogiau cyffredin i doddi i'r gymdeithas yna! Fedrai o wneud hynny? Na fedrai, fyth! Ond sut roedd dod allan ohoni?

"Mae gen ti achos 'sti."

"Be?"

Doedd o ddim yn gwrando.

"Deud oeddwn i bod gen ti achos i aros adra."

"Dw i ddim yn meddwl, Mam. Mae 'na ddau ddyn arall yma 'n toes?"

"Ond fedar yr un o'r ddau redag y lle 'ma!"

"Esgus fydd hynny i'r bobol yma."

"Dw i'n meddwl y dyliat ti gael gair hefo Mr Roberts y gweinidog, a llunio llythyr yn egluro'r amgylchiadau."

"Fentra i na wnaiff hynny ronyn o wahaniaeth!"

"Beth bynnag am hynny, well i ni fynd i ddeud wrth dy dad. Mi wyddost cystal â minnau beth ddywedith o!"

* * *

Er ei fod erbyn hyn yn mentro allan o'r tŷ, fyddai Hugh byth yn crwydro mwy na rhyw dafliad carreg oddi wrtho.

Cerddai yn fân ac yn fuan i bob man gan edrych i lawr a rhaffu brawddegau un ar ôl y llall wrtho'i hun. Yna, wedi rhyw chwarter awr o hynny, dôi yn ôl i'r gegin drachefn ac eistedd yn ei gadair, a'i ddwy law ar ei bengliniau, a'i lygaid ar y llawr.

Doedd o ddim yn dweud dim. Doedd o ddim wedi dangos unrhyw argoel ei fod yn cofio pwy oedd o, na neb o'i deulu. Roedden nhwythau erbyn hyn wedi dechrau ymgynefino â'i gael o gwmpas y lle.

"Glywis i Huws y Post yn dŵad at y tŷ 'ma gynna," meddai Tom wrth Hugh. "Mi ddôn drwadd yn y munud i ddeud wrtha i beth oedd gynno fo.

Daliai Hugh i edrych ar y llawr.

"Maen nhw'n meddwl na wn i lawar o betha, 'sti. Ond os oes gen i goes glec, mae 'nghlustia i'n iawn!

Edrychodd Tom ar Hugh, ac ysgydwodd ei ben yn drist.

"Be wnawn ni hefo chdi, dywed? Ti'n gneud un dim o fora gwyn tan nos ond ista'n fanna yn sbio i nunlla, ne' gerddad rownd a rownd yr iard 'ma...

Daliai Hugh i edrych ar y llawr.

"Dy daflu i'r pair gest ti, yntê? Yn union fel y ces i! Be welist ti tua Ffrainc yna? Y? Be ddigwyddodd i ti, Hugh bach?

Agorodd y drws, a daeth Johnny a Catrin i mewn. Aeth Catrin yn syth at y tegell a'i osod ar y tân heb ddweud gair wrth ei gŵr.

"Be s'gin ti i'w ddeud wrtha i?" Roedd Tom yn edrych ar Johnny, ond Catrin a'i hatebodd.

"Mae 'i lythyr o 'di cyrraedd bora 'ma. A dw i 'di deud wrtho fo am fynd at Mr Roberts y gweinidog i gael llythyr yn nodi rhesyma pam NA fedar o fynd."

"Waeth i chdi drio cnocio cŷn i graig hefo wya ddim!"

"Ond ma' gynno fo resymau, a'r rheini'n rhesymau dilys."

"Dyma i chdi ddau reswm!" gwaeddodd Tom arni, gan bwyntio at Hugh ac ato'i hun. "Ond waeth i ti na minna heb â hefru. Wêl y Sais mo'ni felly, dydi o ddim isho gweld hynna. Tydi o'n ddigon wynabgalad i fynd â siwgwr o de rhywun."

Daeth Johnny i'r ddadl am y tro cyntaf.

"Does yna ddim pwrpas i chi weiddi ar eich gilydd a chitha'n cytuno!"

Edrychodd ei dad arno cyn gofyn, "A be wyt ti am wneud felly?"

"Mynd."

"Jyst mynd?"

"Oes gen i ddewis?"

"A be sy'n mynd i ddigwydd i ni? Y tri fydd yn weddill?"

"Union yr un fath ag sydd yn digwydd i bob teulu arall ble mae'r hogia'n gorfod mynd. Rhaid i chi ddal ati i fyw ora medrwch chi."

Doedd Johnny ddim yn credu ei fod yn dweud y fath

bethau. Roedd o isho cytuno hefo'i dad, cytuno hefo'i fam. Doedd o ddim eisiau mynd, ond roedd yn rhaid iddo ymddangos yn gryf. Doedd o ddim eisiau cael ei alw'n llwfr.

Roedd Catrin newydd lenwi'r tebot ac estyn y cwpanau. "Mi wna i un i Hugh 'ma 'fyd, jyst rhag ofn."

Ond doedd Tom ddim am i hynny ymyrryd â'i goegni.

"Dal ati i fyw, ia? A sut y gwnawn ni hynny? Hugh yn mynd rownd y defaid o'i gadar ia? Y fi yn sberu bob nos ar fy ffon? A dy fam yn godro, hollti plocia a thrin y tir? Titha at dy fogal mewn mwd yn gwneud unrhyw beth mae rhyw lwmp o Sais ddiawl yn 'i ddeud wrthat ti!"

" 'Dach chi'n gw'bod y gallwch chi fynd ar ofyn Evan Pritchard..."

"Evan Pritchard! Dyn gwadan fudur a sawdl lân ydi Evan Pritchard! Dydi'r sbwbach yna ddim yn dod yn agos yma fyth eto!"

"Wannw'l...!" Ond daliodd Johnny lygaid ei fam cyn gorffen ei frawddeg. Roedd yna rybudd ynddyn nhw. Beth ar wyneb y ddaear oedd wedi digwydd rhwng ei dad ac Evan? Doedd bosib bod ei dad hefyd yn gwybod? Ac fel petai yntau'n sylweddoli ei fod wedi dweud rhywbeth o'i le, aeth Tom i ganlyn trywydd arall.

"Mi holltwn ni flocia at y gaea'r wsnos yma," meddai.

" 'Dach chi'n dechra'n gynnar iawn?"

"Well i ni 'neud yn fawr ohonat ti yn tydi, ac mae dau yn well nag un!"

"Fedrwch chi ddim hollti!"

"Mi gym'rith hi dipyn i mi fflarbio, 'ngwash i! Dw i wedi gneud gydol y blynyddoedd, ac mi wna i eto! Fedri di ddim gneud y cyfan dy hun."

Roedd hi'n ddigon gwir bod Tom wedi llwyddo i lifio a

hollti coed yn y gorffennol, ond doedd yna ddim siâp arno eleni. Fedrai o ddim cerdded mwy na dau gam gyda'i ffon, nad oedd o'n gorfod gorffwyso.

"Mi hollta i'r blocia, Dad."

"Yli, mi fydda i hefo chdi, hyd yn oed 'tasa 'ngwynt i mor fyr â hoelan siswrn!"

* * *

Am y tro cyntaf erioed, doedd Johnny ddim yn edrych ymlaen at gyfarfod Elin. Roedd wedi dal y trên cynnar i Fangor, ac yn dal y fasgedaid o nwyddau ar ei lin wrth hel meddyliau.

Doedd o ddim eisiau mynd i'r Rhyfel, ond doedd o chwaith ddim eisiau hel esgusion dros beidio â mynd. Gwyddai y byddai'r newydd yn sigo Elin. Ond roedd o wedi meddwl am ffordd o felysu'r bilsen. Roedd o wedi ceisio pwyso a mesur popeth yn ystod y dyddiau diwethaf 'ma, ac roedd o wedi penderfynu, er gwaetha'r bwlch oedd yn eu hoedran, y byddai'n gofyn i Elin ei briodi.

Doedd o ddim yn edrych ymlaen at ddweud wrthi fod ei bapurau gorfodaeth wedi dod, ond tybed sut byddai hi'n ymateb i'w gwestiwn arall? Aeth ias drwy'i gorff. Beth petai hi'n ei wrthod? Neu'n waeth, yn gwrthod rhoi ateb iddo? A dyna pryd y daeth yr amheuon heibio. Efallai y byddai'n well iddo aros. Aros i weld beth a ddigwyddai.

Fel y deuai ac y ciliai ei amheuon, roedd o leiaf wedi penderfynu un peth. Byddai'n well torri'r newyddion drwg iddi i ddechrau.

Y munud yr arhosodd y trên yn y steshon, ac y camodd Johnny o'r cerbyd, rhuthrodd Elin ato.

Rhoddodd Johnny'r fasged i lawr a'i chofleidio.

"Roeddat ti'n fy nisgwyl i felly?"

"Doeddwn i ddim yn siŵr pa drên y baset ti arno fo, ond mi faswn i yma yn disgwyl am bob un!"

Gwenodd Johnny arni, a chodi'r fasged.

"Mae gen i lond hon o bethau da i ti. O Gae Cudyll ac o Dyrpeg Ucha."

"Sut ma' pawb?"

"Mi fydda i'n gweld tipyn ar dy dad... mae o'n galw acw'n aml. Ychydig fydda i'n ei weld ar dy fam..."

"Sut ma' pawb yng Nghae Cudyll?"

"Hugh yn dal 'run fath. Dad yn gwaethygu – a'i dempar a'i iechyd yn dirywio."

"A dy fam?"

"Fel gallet ti 'ddisgwyl."

"Wnest ti ddim deud dim..."

Ysgydwodd Johnny ei ben.

"Mae 'na ormod o betha er'ill wedi mynd â fy meddwl i."

Wnaeth hi ddim ymateb i hynna, dim ond bod yn ddistaw.

"Sut wyt ti'n setlo i lawr i waith?"

"Iawn... dw i wedi gwneud 'chydig o ffrindia newydd. Ond ma' cysgod y Rhyfel 'ma hyd yn oed ar y coleg."

"Rŵan!" gwaeddodd llais bach y tu mewn iddo. Rŵan oedd yr amser iddo ddweud wrthi, ond fedrai o ddim cael hyd i'r geiriau iawn. Aeth Elin yn ei blaen.

"Mae 'na adroddiadau'n dod i'r coleg bron bob dydd am gynfyfyrwyr sydd naill ai wedi'u clwyfo neu'u lladd. Wyddost ti nad oes yna ddim ond wyth o ddynion ar ôl yma? Merched ydi'r gweddill i gyd, a 'chydig flynyddoedd yn ôl, dim ond dynion oedd yma! Pedwar cant ohonyn nhw!"

"Be leciat ti'i wneud bora 'ma?"

"Be am fynd adra? Cerddad o Langefni i Gae Cudyll... oedi am funud neu ddau yn Nhir Neb... mynd ymlaen wedyn i'r tŷ gwair..."

"Elin!"

"Dyna'r pethau dw i'n eu colli fwya."

Cerddodd y ddau am ychydig mewn distawrwydd gan afael am ei gilydd. Sylweddolodd Johnny nad oedd pwrpas iddo ddal yn ôl ddim hwy.

"Mae fy mhapura i wedi cyrraedd."

"Johnny!" Arhosodd ac edrych arno'n syn.

Nodiodd Johnny arni. "Mi ddaethon y dydd o'r blaen. Isho i mi fynd i'r Borth ac wedyn am fedical i Wrecsam."

"Ond ma' gin ti resymau dros wrthod! Rhaid i rywun ffermio Cae Cudyll! Fedar dy dad a Hugh ddim gwneud hynny yn eu cyflwr nhw!"

"Dyna be ddeudodd Mam hefyd."

"Rwyt ti'n mynd i wrthod... yn mynd i apelio yn dwyt?"

"Wn i ddim a oes yna bwrpas. Mae'n amlwg eu bod nhw isho hel cym'int ag y medran nhw i'r Rhyfal."

"Ond be amdana i? Be amdanan ni?"

Gwelai Elin ei byd yn dadfeilio o'i chwmpas unwaith eto. Yn gyntaf Hugh... rŵan Johnny!

"Petawn i bum mlynedd yn hŷn, fasa ganddyn nhw ddim diddordeb ynof i."

"Dwyt ti erioed yn ystyried mynd?"

"Be sydd yna i 'nghadw i yma?"

"Y fi, Johnny! Y fi!"

"Mi fyddi di yn y coleg am ddwy flynedd. Hyd yn oed wedyn, dim ond ugain oedd fyddi di... mi fydda i erbyn hynny yn hen ddyn."

"Johnny! Dw i wedi dweud a dweud wrthat ti nad ydi'r gwahaniaeth hwnnw yn cyfri dim i mi!"

"Faset ti...?"

"Faswn i'n be?"

"Faset ti'n fodlon ystyried fy mhriodi i?"

Gwyddai fod ei lais yn crynu wrth ofyn ei gwestiwn iddi, ond doedd o ddim wedi disgwyl iddi ymateb mor sydyn.

"Gwnaf! Wrth gwrs y gwna i, Johnny!"

Ac yno, ar y stryd ym Mangor Uchaf cefn dydd golau, y bu'r ddau yn cofleidio ac yn cusanu.

"Dw i ddim eisiau dy golli di, Johnny!"

"Wnei di ddim, Elin! Wnei di ddim. Dw i'n addo hynny i ti."

Treuliodd y ddau'r diwrnod yn cynllunio'u dyfodol. Doedd Elin ddim yn gweld rheswm dros oedi o gwbl. Mi allen nhw briodi'n syth!

"Mi fydd yn rhaid deud gartref," meddai Johnny. "A sut ymateb 'ti'n meddwl y cawn ni gan y ddau deulu?"

"Pwysicach na hynny, lle 'dan ni'n mynd i fyw?"

Mi fyddai hynny yn broblem, ond y diwrnod hwnnw doedd yr un ohonyn nhw'n poeni am hynny. Roedd yna gynlluniau i'w gwneud. O'r diwedd roedd yna rywbeth i edrych ymlaen ato, ond yn bwysicach na hynny, roedd yn rhaid apelio yn erbyn yr orfodaeth oedd ar Johnny i ymrestru. Hwnnw oedd y cam mawr cyntaf.

Llithrodd y diwrnod cyfan drwy'u dwylo yn rhy gyflym. Ganol y prynhawn, roedd y ddau yn ôl yn y steshon a Johnny'n camu ar y trên i fynd adref.

Fel y cychwynnodd y trên tua Llangefni, roedd Elin yn cydgerdded ag o, ac yn edrych ar Johnny drwy'r ffenestr.

Cododd ei llaw a chwythu cusan ato. Gwenodd yntau'n ôl arni. Yna, roedd y trên wedi cyflymu, ac roedd hi wedi mynd.

Wrth weld wyneb gwelw Elin yn diflannu ar steshon Bangor y prynhawn hwnnw, gwnaeth addewid iddo'i hun. "Johnny Hughes, dwyt ti DDIM yn mynd i'r Rhyfel!"

*　*　*

"Iwshio'n gilydd ydan ni, Evan."

"Be wyt ti'n 'feddwl?"

"Ti 'm yn gweld? Am fod Tom yn ddiffrwyth fel mae o, dw i'n dy iwshio di, titha, oherwydd pellter dy berthynas di a Miriam, yn fy iwshio inna. Ond mae o'n rong, Evan!"

"Dw i'n dy garu di, Catrin!"

"Mewn cariad hefo'r syniad wyt ti, Evan, a phe bawn i'n onest, felly dw inna hefyd."

"Be wyt ti'n trio'i ddeud wrtha i?"

"Dydi hyn ddim iws, Evan."

"Be?"

"Cwarfod ar y slei. Neidio am ein gilydd unwaith neu ddwy bob wythnos dim ond i gael ychydig funudau o bleser."

"Dechra teimlo'n euog wyt ti?"

"Dw i'n teimlo'n euog bob tro! Ar ôl pob tro. Mi fydda i'n oedi weithia ac yn meddwl o ddifri am y petha 'ma dw i'n ei wneud tra bod Tom adra'n ei gornel. Fyddi ditha ddim yn teimlo felly weithia?"

"Ma' petha wedi mynd rhy bell acw i mi deimlo math o euogrwydd."

"Wyt ti'n sicr nad oherwydd hyn mae petha wedi mynd felly?"

Ysgydwodd Evan ei ben.

"Fûm i 'rioed yn ddigon da iddi 'sti. Ddim go iawn. Mae 'na ryw strîc snobyddlyd yn Miriam. Yn union fel ei rhieni, ma' hithau hefyd yn credu iddi briodi dan 'i stad."

"Lol ydi hynna!"

"Ddim i Miriam."

Ddylai o ddweud wrth Catrin rŵan am fwriad Miriam i fynd? Dylai.

"Mae hi'n fy ngadael i, 'sti."

"Miriam?"

"Ia. Mae'n mynd medda hi. Ddim yn siŵr i ble, ond mae hi'n gadael."

Roedd hyn yn newydd i Catrin, ond doedd hynny ddim am newid dim ar ei meddwl. Neu oedd o? Roedd hi wedi dod yma'n benodol heddiw i ofyn i Evan am amser. Amser i feddwl. Roedd hi eisiau seibiant rhagddo.

"Dydi hynny'n newid dim ar fy meddwl i."

"Ond pam, Catrin? Pam, ar ôl ugain mlynedd?"

"Rhaid i mi gael amser, Evan. Mae Tom yn gwaethygu, ac mae Hugh... fel y mae o... wedyn mae Johnny yn wynebu mynd i'r fyddin, ac yn sôn am briodi! Mae'r holl betha 'ma'n digwydd o 'nghwmpas i!"

"Ond pam wyt ti isho 'nghau i allan?"

Ysgydwodd Catrin ei phen. Doedd hi ddim yn gwybod pam.

"Euogrwydd, ella?"

"Ar ôl ugain mlynedd, rwyt ti'n dechra teimlo'n euog?"

"Nid dyna ydi o, Evan."

"Be 'ta?"

"Ma'r lle 'cw... fedra i ddim egluro i chdi."

"Tria."

"Rydw i'n byw o ddydd i ddydd yn union fel petaswn i'n disgwyl i rywbath mawr ddigwydd, ond does yna ddim byd yn digwydd! Does yna ddim byd yn mynd i ddigwydd!"

Beth roedd hi'n ceisio'i ddweud wrtho? Roedd Evan

yn y niwl. Gydag Elin yn y coleg a Miriam yn sôn am adael roedd Evan wedi dychmygu gweld ei hun yn cael rhywfaint o ryddid a mwy o amser i gael cwmni Catrin, a rŵan dyma hi'n dweud nad oedd yn dymuno'i weld.

"Fasa petha'n haws petasa rhywbath yn digwydd i Tom?"

"Evan!"

Dyna'r unig air a ddywedodd Catrin, ond roedd y ffordd yr ynganodd ei enw wedi ateb ei gwestiwn.

* * *

Tridiau wedi mynd, tridiau eto, ac mi fyddai'n ddydd Sadwrn. Mi ddôi'r trên, ac mi ddôi Johnny. Dyna a ddaeth i feddwl Elin wrth godi oddi wrth y bwrdd swper a pharatoi i fynd yn ôl i'w hystafell.

Oedd o wedi dweud gartref tybed? Ceisiai ddychmygu beth fyddai ymateb ei thad a'i mam? Roedd wedi ysgrifennu llythyr atyn nhw yn sôn am ei bwriad hi a Johnny i briodi yn gynnar yn y flwyddyn newydd. Gallai ddychmygu ei mam yn ffrwydro, ond byddai ei thad yn fwy pwyllog yn ymateb. Fyddai'i llythyr yn destun ffrae arall?

Yn ôl yn ei hystafell, gorweddodd ar ei gwely a cheisio dychmygu beth tybed roedd Johnny'n ei wneud y funud honno?

Chwech o'r gloch. Gorffen godro? Eistedd yn y gegin hefo Tom a Hugh?

Meddyliodd am Hugh. Beth petai o wedi dod adre'n ddianaf? Sut byddai o wedi ymateb? Sut byddai hi wedi ymateb? Roedd hi'n dal i deimlo'r cyffro a'r ias a gawsai yn ei gwmni.

Y fo oedd ei chariad cyntaf. Hefo fo y dysgodd bopeth

a wyddai am garu. Fo oedd y cyntaf i'w chyffwrdd. Fo oedd y cyntaf i'w meddiannu. Cofiai fel y byddai'n meddwl mai gyda Hugh y byddai'n treulio gweddill ei bywyd. Roedd o'n bopeth y dymunai merch ei gael. A rŵan? Rŵan, roedd hi wedi addo priodi ei frawd! Priodi dyn oedd ddeng mlynedd, a mwy, yn hŷn na hi!

Sut ar wyneb y ddaear y daethai i hyn? Roedd hi'n teimlo bod yna fwy o waelod i Johnny erbyn hyn, ond ai aeddfedrwydd oedd yn gyfrifol am hynny? Petai Hugh wedi dod adre'n iach, efallai y byddai yntau wedi aeddfedu hefyd? Ond roedd o wedi mynd o'i wirfodd. Wedi dewis y fyddin yn hytrach na hi. Ac roedd o wedi mynd heb ddweud dim. Wedi dianc fel lleidr i'r nos.

Daliai i gofio'r wefr a gawsai pan lithrodd llaw Johnny am ei bron wrth iddi hanner ei gario adre'r noson honno o Langefni. Cofiai hefyd am y noson honno ar y llwybr. Dyna'r noson yr oedd hi angen rhywun i afael yn dynn ynddi. Rhywun y gallai deimlo'n saff yn ei freichiau. Ac roedd o wedi gafael amdani'n gadarn. Hithau wedi gwthio ei ddwylo o dan ei dillad. Gallai deimlo'r bysedd geirwon rŵan ar ei chroen meddal. Cofiodd y tro cynta iddi hi a Johnny garu go iawn. Roedd o'n drwsgl, yn swil ac ar frys, ond O! fel yr oedd wedi newid fel yr aethai'r wythnosau heibio. Roedd yn dyner, yn gadarn, a'r swildod yr oedd hi wedi'i gysylltu ag o ers iddi ei adnabod wedi diflannu.

Gweddïai y byddai ei apêl yn erbyn yr orfodaeth yn llwyddo. Am unwaith yn ei bywyd, roedd hi'n hapus. Yn union fel yr oedd cyn i Hugh...

Daeth cnoc ar ei drws i darfu ar ei meddyliau. Agorodd ef, a chamodd yn ôl. Ei mam oedd yno, ac roedd golwg y fall arni.

"Dowch i mewn."

Ni welsai Elin erioed y fath newid a ddaethai i wyneb neb mewn cyn lleied o amser. Roedd ei llygaid yn gylchoedd duon a'i gwallt yn flêr. Roedd hi fel petai wedi heneiddio blynyddoedd mewn ychydig wythnosau. Ond beth ar wyneb y ddaear roedd hi'n ei wneud yma rŵan?

Daeth Miriam i'r ystafell ac eistedd ar y gwely. Caeodd Elin y drws a dod ati.

"Fe ddaeth dy lythyr di…"

Dyna'r rheswm dros yr ymweliad felly, a pharatôdd Elin ei hun am frwydr eiriol.

"Ifanc wyt ti… Na! Paid â thorri ar fy nhraws i… ond os mai dyna wyt ti isho, ac os wyt ti'n siŵr o'r hyn rwyt ti'n ei wneud, wna i ddim sefyll yn dy ffordd di."

Sut dylai ymateb? Teimlai Elin na fedrai wneud yr un dim ond mynd ati a gafael ynddi, ond doedd yna ddim cynhesrwydd yn ei chyffyrddiad. "O, Mam!"

"Dydi dy dad ddim wedi dweud fawr ddim wrtha i, ond dw i'n meddwl y bydd yntau'n fodlon hefyd."

"Sut mae o?"

"Treulio lot o'i amsar o'cw, ond mi wyddost ti fwy na fi am hynny debyg?"

Atebodd Elin mo hynna. Doedd hi ddim eisiau cychwyn dadl.

"Does gen i fawr a amser, ma'r trên yn gadael mewn rhyw awr. Ond roeddwn i eisiau dy weld ti cyn… cyn…"

"Cyn be?"

Rhoddodd Miriam ochenaid fechan cyn ailddechrau.

"Dw i wedi penderfynu mynd… mynd i ffwrdd."

"I ble?"

"Wn i ddim eto, ond mi fydda i wedi mynd cyn i ti ddod adra i fwrw'r 'Dolig."

"Ond i ble'r ewch chi?"

"Mi ffendia i rywla."

"Ydi Dad yn gwybod?"

"Rydw i wedi hannar deud wrtho fo."

"Be ddeudodd o?"

Gwenodd Miriam yn wan. "Ddaru o ddim gwrthwynebu."

"Ond i ble'r ewch chi? Ac ar be 'dach chi'n mynd i fyw?"

Anwybyddodd Miriam y ddau gwestiwn. "Rydw i wedi bod hefo'r twrna pnawn 'ma. Dyna pam galwis i."

"Twrna?"

"Chdi pia hanner Tyrpeg Ucha rŵan, Elin. Presant priodas i chdi gin dy fam yli! O leia mi fydd gynnoch chi do uwch eich pennau, a dydw i ddim am i neb arall gael fy siâr i o Dyrpeg Ucha."

Wyddai Elin ddim beth i'w ddweud, ond gallai deimlo'r dagrau'n dechrau cronni. Cododd Miriam. "Yli, mi a' i rŵan, i chdi gael llonydd."

"Mam?" Na, wyddai hi ddim beth i'w ddweud. "Mi gerdda i hefoch chi i'r steshon."

* * *

Rhyw bendwmpian yr oedd Tom pan glywodd y gweiddi. Yn syth, gwyddai fod rhywbeth o'i le. Doedd Hugh ddim yn ei gadair. Gwrandawodd drachefn. Gwthiodd ei hun ar ei draed a chythru am ei ffon.

Fyddai'r un o'r hogia'n gweiddi fel'na fel arfer. Nid gwaedd tynnu sylw oedd hi, ond gwaedd o boen – a honno'n waedd ddirdynnol.

Y 'sgubor! Cofiodd fod Johnny yn y 'sgubor, ond ble'r oedd Hugh? Rhaid ei fod wedi codi a mynd allan i'r buarth.

Fesul troedfedd herciodd tua'r drws cefn. Agorodd ef a gweiddi, "Johnny! Hugh!"

Daliai'r gweiddi i ddod o gyfeirad y 'sgubor, ond roedd y daith bron â mynd yn drech nag o. Pan gyrhaeddodd ddrws agored y 'sgubor pwysodd ar y cilbost am ennyd i gael ei wynt ato.

"Johnny! Hugh!"

Edrychodd Tom heibio i'r drws. Gorweddai Johnny ar lawr yn gwingo ac yn griddfan yn uchel. Yn sefyll uwch ei ben roedd Hugh, yn gafael yng nghoes y fwyell. Roedd llafn honno'n waed i gyd. Edrychodd Tom ar Johnny drachefn, a gwelodd fod ei droed chwith bron yn rhydd o'r goes.

"O! Iesu! Iesu! Be ti 'di 'i wneud, hogyn?"

Ceisodd Tom gerdded tuag at y ddau, ond ildiodd ei goes oddi tano. Disgynnodd.

* * *

Tir Neb yn y tawelwch a'r tywyllwch.

Wrth gerdded am adref arhosodd Miriam ar gyrion Tir Neb. Gallai weld golau Tyrpeg Ucha yn y pellter, a gwawr olau uwchben Cae Cudyll. Ar wahân i hynny, roedd hi'n dywyll, ac roedd hi'n dawel. Edrychodd o'i hamgylch. Roedd dotiau bychain o oleuadau yma ac acw. Dechreuodd enwi'r tyddynnod a'r ffermydd yn dawel yn ei meddwl. Roedd pob un mor dawel. Tybed a oedd hi mor gythryblus o dan eu cronglwydi nhw ag yr oedd hi yng Nghae Cudyll a Thyrpeg Ucha? Oedd, mae'n siŵr. Roedd gan bawb eu problemau.

Yn sydyn clywai rywun yn brysio ar y llwybr a ddeuai o Gae Cudyll. Cyflymodd ei chalon. Beth a wnâi? Aros yn dawel? Penderfynodd alw.

"Helo? Pwy sydd 'na?"

Peidiodd y sŵn cerdded.

"Miriam?"

"Catrin?"

"Miriam! O Miriam...!"

Disgynnodd Catrin i'w breichiau.

Pan glywodd Evan gliced y drws cefn yn cael ei chodi, sgwariodd a safodd ger y drws. Daeth Miriam i'r golwg.

"Lle uffar w't ti wedi bod?"

Yna gwelodd Catrin y tu ôl iddi.

"Evan!" sgrechiodd honno.

Symudodd Miriam i'r ochr a disgynnodd Catrin i freichiau Evan. Roedd hi'n ubain wylo wrth iddo afael amdani a'i thywys i'r gegin. Ceisiodd ei chysuro.

" 'Na fo, 'na fo. Be sy matar? Be sy 'di digwydd?"

Troes at Miriam, ond roedd hi fel petai'n paratoi i fynd allan eto. Edrychodd ar Catrin eto, ond fedrai hi ddweud dim byd dim ond pwyso'n drwm arno.

"Mi gaiff Catrin ddweud ei stori wrtha chdi. Mi a' i i lawr i Gae Cudyll," meddai Miriam. A chan edrych ar y ddau yn gafael am ei gilydd aeth am y drws.

"Be sy, Catrin? Be sy matar?"

Tywysodd Catrin i'r gegin a'i rhoi i eistedd yn y gadair ger y tân. Clywodd sŵn y drws cefn yn cau â chlep.

"Rŵan, dywad wrtha i be sy matar?"

Estynnodd Catrin hances wen o'i phoced a sychodd ei thrwyn.

"Tom... mae o wedi cael strôc, a ma' Hugh 'di trio lladd Johnny!"

"Be?"

Nodiodd Catrin ei phen a phlannodd ei hwyneb yn yr hances eto. Daeth ati'i hun ymhen ysbaid.

"Ro'dd Johnny'n hollti blocia yn y 'sgubor pan glywodd

Tom y sgrechiada 'ma. Fe 'mlwybrodd allan, ac yno mi welodd Johnny'n gorwadd ar lawr a Hugh uwch ei ben o hefo'r fwyall. Roedd o 'di taro Johnny yn 'i droed. Roeddwn i 'di bod â wyau i Mr Roberts y gweinidog ac mi ddoth o i fy hebrwng i adra ac i weld Tom. Fan'no y ffendion ni nhw... yn y 'sgubor... ac wrth ddeud 'i stori fe a'th Tom yn sâl."

"Ydi Johnny wedi brifo?"

"Ei droed. Mae'r doctor wedi'i lapio hi, ond mi fydd yn rhaid iddo fo gael triniaeth yn o gyflym iddi hi."

"A Hugh ddaru hynny?"

Nodiodd Catrin.

"Ma'r doctor wedi deud wrth Mr Roberts am aros hefo Hugh. Mi fydd yn rhaid iddo fo riportio hyn medda fo. Wedyn mi ddois i yma. Meddwl ella y basa un ohonach chi... allai rhywun ddŵad acw... mi welis i Miriam ar y ffordd ac mi ddeudis i wrthi beth oedd wedi digwydd."

"Mi ddo i i lawr hefo chdi rŵan."

"Mi fydd yn rhaid i rywun aros hefo Tom, mi fydd yn rhaid i rywun fynd hefo Johnny, ac mi fydd angen cwmpeini ar Hugh hefyd... yn enwedig os ân nhw â fo i mewn!"

Nodiodd Evan ei gytundeb.

"Ôl reit. Mi awn ni'n dau i lawr rŵan."

*   *   *

Eisteddai'r ddau frawd gyferbyn â'i gilydd, Hugh yn eistedd yn ei gadair yn syllu'n syth o'i flaen, a Johnny'n gorwedd mewn poen ar y sgiw a'i lygaid ynghau. Roedd rhwymyn gwyn am ei droed, a'i drowsus wedi'i rwygo o'r pen-glin i lawr.

Eisteddai'r gweinidog yn ei ymyl yn gafael yn ei law.

"Johnny?"

Ond doedd dim ateb. Doedd Johnny ddim wedi dweud gair wrth neb.

"Johnny, wyt ti'n fy nghlywed i?"

Ond doedd dim ateb. Cyn gadael, roedd y doctor wedi gofyn i'r gweinidog geisio'i gael i sgwrsio. Y sioc oedd yn gyfrifol am ei ddistawrwydd, ond gorau po gyntaf iddo ddechrau siarad a chofio.

Cododd y gweinidog ar ei draed pan ddaeth Catrin ac Evan i mewn. Rhedodd Catrin yn syth at Johnny.

"Johnny?" Yna troes at y gweinidog. "Ddeudodd o rywbeth, Mr Roberts?"

Ysgydwodd yntau'i ben. "Dim byd, mae gin i ofn, ond mi ddeudodd Dr Evans mai effaith y sioc ydi hynny. Mi ddaw, Catrin Hughes, mi ddaw."

"Lle mae Miriam?" holodd Evan.

"Fe aeth i'r parlwr at Tom."

Wyddai Evan ddim beth i'w wneud. Penderfynodd mai doethach iddo fyddai mynd at ei wraig.

"Mi a' inna drwadd... i chi gael llonydd..."

Taenodd Catrin ei llaw dros ben Johnny.

"O leia fydd 'na 'm rhaid iddo fo fynd i gwffio rŵan!"

"Mae yna frwydr o fath arall yn ei wynebu o, Catrin Hughes. Ond cysurwch eich hun, trwy ras Duw mi ddaw Johnny a chitha drwyddi."

"Ddeudodd Dr Evans ei fod o'n dod yn ôl?"

"Do. Mae o wedi mynd i nôl rhai petha i drin coes Johnny... ac mi ddeudodd hefyd y basa'n rhaid iddo roi gwybod i'r cwnstabl."

Troes Catrin at Hugh, ac ysgwyd ei phen. "Ân nhw â fo oddi yma, Mr Roberts?"

"Wn i ddim Catrin. Wn i ddim."

Sŵn ceffylau'n calpio tua'r buarth. Lleisiau. Cnoc ar y drws. Roedd Dr Evans wedi dychwelyd ac roedd cwnstabl yn gwmni iddo. Cariai'r doctor fag a bocs.

Aeth y doctor yn syth at Johnny. Agorodd ei fag a chodi ei olygon. "Efallai mai'r peth gorau i chi fyddai gadael, Catrin. Mi fydd yn rhaid i mi gael powlenni a digonadd o ddŵr poeth."

Neidiodd Catrin i ufuddhau iddo.

"Ydi o mewn peryg o golli'i droed?"

"Mae gen i ofn y bydd yn rhaid iddo fo'i cholli hi."

"Fedar o siarad?" gofynnodd y cwnstabl.

Ysgydwodd y doctor ei ben. "Chewch chi ddim byd ganddo fo heno."

"Na Hugh chwaith?"

"Dydi Hugh ddim wedi siarad ond prin dau air er pan ddaeth o o'r Rhyfal," atebodd Catrin.

"A Tom?"

Gwelai'r cwnstabl ei hun yn wynebu penbleth. Os nad oedd yna dystiolaeth gadarn am yr hyn a oedd wedi digwydd, beth oedd o i fod i'w wneud?

"Mae Tom yn y parlwr hefo Miriam ac Evan."

Aeth y cwnstabl atynt.

Tynnodd y doctor y rhwymyn yn ofalus oddi ar droed Johnny. Ysgydwodd ei ben, ac estynnodd ei focs. Cyn ei agor troes at Catrin.

"Ewch chi â Hugh o'ma, Catrin? A wnewch chi ofyn i Evan ddod drwadd ata i? Dw i'n meddwl mai gwell fasa i chi gadw o'ma."

Nodiodd hefyd ar y gweinidog i adael, ond cyn iddo fynd rhoddodd siars iddo, "Wnewch chi ofalu nad oes yna neb yn dod i mewn nes y dyweda i?"

Pan ddaeth Evan ato, meddai'r doctor, "Fydd hyn ddim

yn hawdd, Evan. Fedri di ei ddal o lawr. Eistedd ar ei fynwes o, a dal ei ddwylo. Does 'na 'm rhaid i ti edrych."

Wedi estyn y dŵr, y powlenni a'r cadachau, agorodd y doctor ei focs ac estyn y llif.

Yn y parlwr, roedd Miriam yn rhoi cadach gwlyb ar wyneb Tom. Byrlymai'r chwys oddi ar ei dalcen ac roedd olion cystudd yn ei lygaid. Y tu ôl iddi safai'r cwnstabl.

"Ydech chi'n cofio be ddigwyddodd, Thomas Hughes?" holodd y cwnstabl.

Daeth Catrin i mewn yn tywys Hugh. Aeth ag ef at gadair a'i roi i eistedd arni; yna aeth at y gwely. Daeth y gweinidog i mewn ar ei hôl a sefyll ger y drws.

"Be ddigwyddodd yn y 'sgubor, Tom?"

"Hugh!" meddai Tom yn floesg. "Bwyell... yn ei law... a Johnny ar lawr..." Yna collodd ei wynt.

"Damwain oedd hi!" torrodd Catrin ar ei draws, "Mae'n rhaid mai damwain oedd hi! Fasa Hugh byth yn brifo Johnny!"

Ond roedd geiriau Tom wedi bod yn ddigon i'r cwnstabl. Roedd wedi penderfynu.

"Mae'n well i Hugh ddod hefo fi i'r dre. Mi sgwenna i fy riport ac mi gaiff y sarjant benderfynu beth fydd yn digwydd wedyn."

"Ond fedar Hugh ddim siarad!"

"Er diogelwch pawb, Mrs Hughes, dw i'n meddwl mai yn y rhinws mae 'i le fo heno."

"Na!"

Ar yr union eiliad clywyd sgrech annaearol yn diasbedain drwy'r tŷ. Rhuthrodd Catrin am y drws, ond safai'r gweinidog yno i'w rhwystro.

"Mi ddaw'r doctor i ddeud pryd cawn ni fynd drwadd, Catrin Hughes."

Yn ei gadair, dechreuodd Hugh grynu. Ei ddwylo, ei freichiau, ei goesau ac yna'i ben a'i geg. Roedd yntau eisiau sgrechian hefyd, oherwydd roedd y sgrech a ddaethai o'r gegin wedi'i atgoffa o sgrechiadau eraill, ac roedd o'n gwybod. Roedd o'n gwybod!

* * *

"Atab fi!"

Ddywedodd Hugh ddim oll, dim ond edrych yn syth i lygaid yr heddwas. Roedd hwnnw'n dechrau colli amynedd, ond yn ceisio cadw mewn cof yr hyn a ddywedodd y doctor wrtho am gyflwr Hugh.

"Roeddat ti a dy frawd yn y 'sgubor yn torri coed. Pan ddaeth dy dad i fewn, roedd dy frawd ar lawr a chditha'n plygu drosto fo hefo'r fwyall yn dy law. Be ddigwyddodd? Dyna'r cwbl dw i isho'i w'bod! Be ddigwyddodd?"

Ond dal i edrych yn syth i fyw ei lygaid a wnâi Hugh.

Daeth cnoc ar y drws. Cnoc awdurdodol. Pan agorodd yr heddwas gwelai mai'r sarjant oedd yno. Wedi'i gyfarch, eglurodd yr heddwas yn fras iddo'r hyn oedd wedi digwydd.

"Busnas mesi iawn, P.C.?"

"Trio ca'l rhyw fath o stetment oeddwn i rŵan, syr. Ond mae o 'di 'i 'nafu yn y Rhyfal. Shrapnel yn 'i ben, yn ôl y doctor. Methu deud dim."

Edrychodd y sarjant ar y ddalen bapur oedd ar y ddesg.

"Hogyn Tom Hughes Cae Cudyll ydi o?"

"Ia, syr. Johnny, ei frawd o, sydd wedi brifo. Wedi torri'i droed i ffwr'."

"Hugh Hughes?" gofynnodd y Sarjant.

Edrychodd Hugh yn syth o'i flaen. Ddywedodd o ddim gair.

Cerddodd y sarjant rownd y gadair nes roedd y tu ôl i Hugh. Plygodd drosto nes roedd ei geg uwchben clust Hugh. "Hugh Hughes!" bloeddiodd nerth esgyrn ei ben.

Neidodd Hugh ar ei draed nes trawodd y sarjant o dan ei ên â'i ben. Aeth hwnnw i'r llawr fel sach o datw.

"Yes sirrr!" bloeddiodd Hugh. "Ready to go at your command. Yes sirrr." Saliwtiodd.

Cynorthwyodd yr heddwas y sarjant i godi. Bu am ennyd cyn dod ato'i hun. Roedd Hugh yn dal ar ei draed wedi'i rewi mewn saliwt.

"Methu siarad! Y cythra'l!" Safodd o flaen Hugh. "Asolting e polis offisyr oedd hynna!" Cymerodd gam yn ôl a chaeodd ei ddwrn. Yna saethodd ei ddwrn i ganol wyneb Hugh. Syrthiodd yntau wysg ei gefn ac yn ôl ar ben ei gadair. Troes honno drosodd ac aeth Hugh a'r gadair i lawr. Caeodd ei lygaid a syrthiodd ei ben i un ochr. Ni symudodd. "Roeddach chi'n dyst i'r asolt..."

"Welais i mo..." cychwynnodd yr heddwas.

Caledodd llais y sarjant. "Roeddach chi'n dyst i'r asolt! Ac mi roedd yn rhaid i minnau amddiffyn fy hun, yn toedd?"

"Oedd, syr."

"Lluchiwch ddŵr drosto fo. Wedyn, mi sgwennwn ni ei gyfaddefiad o."

Pennod 8

AETHAI PEDWAR DIWRNOD HEIBIO, ac roedd Evan, yn ôl ei arfer, wedi dod i lawr yn blygeiniol i Gae Cudyll i odro. Roedd Johnny wedi dod ato'i hun yn weddol, ond doedd o'n cofio dim am yr hyn a ddigwyddodd yn y 'sgubor – dim ond ei dad yn gweiddi, yna deffro yn y tŷ a theimlo'r boen yn ei droed. Wedi cael gwared â'i droed, ni chredai'r doctor erbyn hyn fod perygl iddo golli'i goes, ond ni fedrai wneud dim rownd y fferm am beth amser. Rhaid oedd gorffwyso. Ac yn ei wely y bu Johnny am dridiau.

Pan ddaeth Elin i'w weld, ni fedrodd Johnny ddweud dim wrthi am ychydig dim ond wylo'n hidl. Doedd o ddim fel petai'n ymwybodol eto o'r hyn a oedd wedi digwydd iddo. Ond roedd Catrin wedi'i rhybuddio,

"Mae o'n dal mewn sioc, dyna ddeudodd y doctor."

Erbyn y pedwerydd dydd, gwrthodai Johnny aros yn ei wely, ac roedd Catrin Hughes wedi rhoi clustogau ar y gadair freichiau fawr yn ymyl y sgiw; ar hon yr hanner gorweddai Johnny a'i goesau'n gorffwys ar gadair arall o'i flaen.

Roedd Mr Roberts y gweinidog a Dr Evans wedi ysgrifennu llythyr ar ei ran at y fyddin yn egluro'r rheswm am ei absenoldeb o'r archwiliad meddygol.

Wedi'r helynt yn swyddfa'r heddlu, cawsai Hugh ei gludo drannoeth yn ôl i'r ysbyty yn Ninbych.

Deuai Dr Evans yn ddyddiol i Gae Cudyll, nid yn unig i olchi clwyf Johnny, ond i weld Tom hefyd. Roedd o'n gwanychu, ac roedd pob sgwrs bron yn troi'n ffrae, a Catrin bron â dod i ben ei thennyn.

Deuai Evan draw yn ddyddiol i odro ac i dendiad y stoc. Byddai hefyd yn taro'i ben heibio i'r drws i holi hynt a helynt y cleifion a doedd heddiw ddim yn eithriad.

Wedi troi'r gwartheg o'r beudy, aeth Evan am y tŷ. Cnociodd ar y drws ac aeth i mewn.

Hanner gorweddai Johnny yn y gadair freichiau, a'i lygaid yn goch a'i geg yn ysgyrnygiad o boen.

"Mae Mam yn y parlwr," meddai Johnny wrtho.

"Rhaid i mi fynd i fyny'n ôl acw. Wnei di ddeud y do' i i lawr eto at amsar te?"

"Deudwch wrthi eich hun! Cerwch drwadd."

Oedodd Evan. Roedd o fel pe bai'n teimlo rhyw oerni yng ngeiriau Johnny. Aeth am y parlwr. Gallai glywed y ffraeo cyn iddo fynd i mewn.

"Ma'r hogyn yn sâl, Tom."

"Roedd o'n gwybod yn iawn be oedd o'n 'neud…"

"Mi ddeudodd Dr Hitchinson mai *shell-shocked* oedd o."

"Trio lladd Johnny… wedyn 'mosod ar y plisman yna."

"Tom!"

"Isho'r ffarm mae o, Catrin."

"Paid â chabalatsio!"

"Talu'n ôl, am fod Johnny ac Elin yn mynd i briodi. Troi'r fwyall ar 'i frawd ei hun, os brawd 'fyd!"

"Be wyt ti'n 'feddwl?" Trodd Catrin arno'n gas.

A theimlai Evan mai dyma'r amser efallai iddo yntau roi ei big i mewn.

"Rw't ti'n llawdrwm braidd ar Hugh, Tom."

"Hy!" Caeodd Tom ei lygaid am funud, a hanner gwenodd.

"Wyt ti'n meddwl na wn i ddim, Evan?"

"Gw'bod be?"

"Hugh, yntê?"

"Be ti'n 'ddeud?"

"Pam ddiawl 'ti'n meddwl na fûm i'n rhy daer iddo fo beidio â mynd i'r Rhyfel?"

"Tom! Be ti'n 'ddeud?" Tro Catrin oedd hi rŵan.

"Mi fûm i'n edrach ar y ddau ohonach chi'n baglu ar draws eich gilydd i drio'i amddiffyn o! Pan welais i hynny, mi wyddwn i sicrwydd."

"Be ar wynab y ddaear wyt ti'n 'feddwl?"

"Paid â sbio arna i fel'na! Mae o'r un pryd a gwedd a gweflau â chdi!"

"Ti'n drysu, Tom...!"

"Hugh ac Elin yn caru, 'n toeddan. Y ddau o'r un tad!"

"Tom!"

"Dw i 'di ama erioed, Catrin. Mae ysbryd 'i dad yn'o fo. Mi fuest tithau'n caru'r 'deryn er mwyn y nyth, yn do Evan? O leia dyna fydda Oswald yn arfar 'i ddeud amdanat ti."

Aeth Evan yn dawel i gyd. Roedd beth roedd Tom yn ei ddeud yn ddeud mawr, ond roedd Catrin wedi ei sicrhau... Pam nad oedd hi'n rhoi'r un sicrwydd rŵan, i Tom?

"Tom!" gwaeddodd Catrin. "Paid â rhyfygu!"

"Mi roddodd hynna'r saim yn y tân, yn do? Ti'n dawal ar y diawl, Evan? Beth bynnag, rydw i wedi ca'l deud fy neud rŵan."

"Tydi o ddim yn wir, Tom," meddai Evan.

"Gad i mi glywed Catrin yn deud hynna, Evan."

"Dwed wrtho fo, Catrin!"

"Waeth i mi heb â dweud dim byd wrtho fo. Mae o wedi gwneud ei feddwl i fyny, a does 'na ddim twsu na thagu arno fo. Mul styfnig fuodd o, a mul styfnig fydd o – tra bydd o!"

"Faswn i ddim wedi cenhedlu cachgi, na llofrudd!"

"Mae Hugh yn sâl, Tom."

Troes Tom ar ei ochr. Roedd ei lais yn floesg a dim ond prin y clywai'r ddau arall ei eiriau.

"Chi'ch dau pia fo. 'Drychwch chi ar 'i ôl o. Y fo a'i strymantia."

* * *

"Lle fuost ti?"

Ni welai Evan reswm dros gelu'r ffaith.

"Yng Nghae Cudyll. Dydi'r doctor ond yn rhoi 'chydig o amser i Tom. Mae o wedi colli'r ewyllys i fyw medda fo."

"Be wnei di wedyn?"

"Wedyn?"

"Mi fydd Catrin yn ddynes rydd, a dw inna'n bwriadu gadael…"

"Be ti'n 'feddwl, gadael?"

"I rywla o'ma."

"Miriam! Mi drian ni weithio rhywbath…"

"Waeth i ti heb, Evan. Mae popeth yn un smonach."

Oedd, roedd hi wedi taro ar yr union air. Un smonach mawr oedd y cyfan, a doedd yna ddim argoel bod datrys i fod ar y smonach hwnnw.

"O leia fydda i ddim yma i ddrysu'ch cynlluniau chi."

"Does yna fawr o bres i chdi…"

Chwerthin a wnaeth Miriam. Chwerthin ar ei draws.

"Os mai dyna'r unig beth sy'n dy boeni di…"

"Ond mi fydd yn rhaid i ti fyw!"

"Os bydd Elin a Johnny hefo'i gilydd, o leia mi 'rhosith Tyrpeg Ucha yn y teulu."

"Ond mi fydd rhaid i ti fyw!" ailadroddodd Evan.

"Byw!"

Nid y gair 'byw' oedd flaenaf ym meddwl Miriam wrth iddi droi ar ei sawdl, ac anelu am y llofft.

* * *

Wythnos yn ddiweddarach bu farw Tom, a bu cymaint o fynd a dŵad yng Nghae Cudyll nes y troes y dyddiau yn un i Catrin. Pob dydd fel yr un blaenorol. Pobol ddiddiwedd. Siarad diddiwedd. Paneidiau diddiwedd.

Wyddai hi ddim faint oedd yn yr angladd, ond roedd wedi clywed rhywun yn dweud bod yno dri chant – am ei fod wedi cyfri'r seddau gweigion oedd yn y capel. Erbyn rŵan roedd y diwrnod cyfan wedi mynd yn un ruban di-liw iddi, ond roedd hi'n cofio rhai pethau.

Roedd hi'n cofio cerdded i'r capel.

Roedd hi'n cofio hynny am fod pob maes a phant a pherth yn glaerwyn gan eira; am ei bod mor drybeilig o oer; ac am fod y gwynt yn chwipio'i bochau nes roeddan nhw ar dân.

Fe gofiai hefyd eiriau caredig Mr Roberts am Tom. Fe fyddai'n cofio'r rheini am eu bod nhw mor gelwyddog. Nid creadur mwyn fu Tom hyd y diwedd. Erbyn blynyddoedd ola'i oes roedd o wedi newid yn drybeilig. Roedd o'n ddyn croes, sur, caled, a brwnt ei dafod.

Fe gofiai gerdded y tu ôl i'r elor i'r fynwent. Roedd hi'n cofio hynny oherwydd bod ei thraed yn gwneud siapiau bychain taclus yn yr eira gwyn glân, a hithau'n ceisio'i gorau i osod ei thraed ynghanol ôl traed un o'r rhai a arweiniai a thrwy hynny beidio â styrbio glendid gwyn yr eira.

Roedd hi'n cofio codi'i phen wrth ganu ar lan y bedd.

Ac fe gofiai hynny oherwydd bod tarth yn dod o enau'r

cantorion i gyd. A dyna pryd y bu bron iddi chwerthin yn uchel. Pawb yn canu:

'Wedi'r holl dreialon, wedi cario'r dydd
Cwrdd ar fynydd Seion – O! mor felys fydd.'

Y geiriau fel pe baen nhw'n rhewi wrth ddod o gegau pawb. Ac roedd hi'n gweld hynny'n ddigri. Meddyliai am bawb yn mynd adre a geiriau emyn Watcyn Wyn wedi rhewi rownd eu gwefusau!

Aeth ias drwyddi wrth feddwl am y geiriau'u hunain. 'Treialon?' Do fe gafodd Tom ei dreialon. 'Cario'r dydd?' Efallai iddo wneud hynny hefyd, ond 'cwrdd ar fynydd Seion'? Am un funud fe chwalwyd cred Catrin Hughes. Os oedd yna fywyd tragwyddol, doedd hi ddim eisiau gweld Tom eto. Llawer rheitiach fasai ganddi brofi rhywfaint o'r tynerwch a oedd yn perthyn i Evan Pritchard.

A dyna pryd y dechreuodd deimlo'n euog eto. Roedd gan Tom bob hawl i deimlo'n groes ac yn sur yn ystod ei oes. Onid oedd o wedi profi chwerwder? Onid ei anaf a'i gwnaeth felly? Onid ei anaf a'i gwnaeth yn analluog i gynnal perthynas gnawdol â'i wraig ac a'i gyrrodd hithau yn ei thro i freichiau gŵr arall?

Ond dŵr o dan y bont oedd hynna bellach. Roedd ei sefyllfa hi erbyn hyn wedi newid. A sefyllfa Evan hefyd. Roedd hi'n wraig weddw, ac Evan yn... Evan yn beth? Yn rhydd? Oedd, os oedd Miriam yn drofun ei adael.

Yna roedd Hugh. Hugh druan. Wedi'i fagu'n grymffast cry'. Wedi'i hyfforddi'n filwr. Wedi'i dalu a'i borthi i fynd i ymladd. Wedi'i glwyfo, ac yna'i adael ar drugaredd ei amgylchiadau.

*   *   *

Roedd Elin wedi dod adref o'r coleg, ac roedd hi a Johnny, yntau'n pwyso'n drwm ar ei faglau, wedi mentro allan i'r buarth. Er bod y tywydd oer yn brathu, doedd Johnny ddim yn poeni. Cael dianc allan o'r tŷ oedd yn bwysig iddo fo. Am ychydig funudau roedd cyfle iddo fo ac Elin siarad.

"Mi fedrwn ni ddewis Tyrpeg Ucha neu Gae Cudyll."

"A be 'di bwriad dy fam a 'Nhad?"

"Cyd-fyw am wn i."

"Yn lle?"

"Lle bynnag a ddewiswn ni, mi ân nhw i'r llall. Dw i'm yn amau y basa Dad yn lecio cydio'r ddau le yn 'i gilydd."

"A ni fydd pia'r cwbl ryw ddiwrnod!"

"A Hugh."

Bu distawrwydd am ennyd, a Johnny'n oedi i orffwyso ar ei faglau. Elin a siaradodd nesaf.

"Dydi Mam ddim wedi dweud pryd nac i ble mae hi'n bwriadu mynd, ond mi fydd yn ein gadael un o'r dyddiau nesa 'ma."

"Wyt ti'n poeni amdani?"

"Er ei phechodau! Yndw."

"A dy dad? Be amdano fo? A fi? Yr un ydi'n pechodau ni, Elin. A thitha o ran hynny!"

"Be w't ti'n 'feddwl?"

"Bradwyr ydan ni i gyd. Rydan ni i gyd wedi bradychu rhywun. Mi ddaru ni fradychu Hugh. Ac mi fydd yn rhaid i ni fyw hefo hynny." Craciodd ei lais. "Mi fydd yn rhaid i mi fyw…"

"O Johnny!"

"Fedra i byth ddweud wrthat ti yr euogrwydd sydd y tu mewn i mi, Elin. Mae be wnes i'n waeth… yn waeth o lawer."

"Paid, Johnny! Paid. Hishd."

"Ond rhaid i mi gael dweud…"

"Na! Does dim rhaid i ti ddweud dim. Rydw i'n dallt. Iawn? Mae beth sydd wedi digwydd y tu ôl i ni."

"Elin, dw i'n dy garu di. Dy garu di am byth!"

* * *

Roedd y Nadolig ar y trothwy, a blwyddyn newydd ar fin gwawrio a fyddai, gobeithio, yn dod â rhywfaint o lawenydd yn ei sgil. O leiaf dyna obaith Catrin Hughes wrth ddechrau rhestru'r hyn roedd angen ei wneud cyn y briodas.

Dim ond unwaith y buasai'n gweld Hugh, ond roedd hi, fel Dr Hitchinson, wedi sylwi ar y newid a ddaethai drosto ers iddo ddychwelyd i Ddinbych.

Pan eisteddai yn ei gadair yn awr, yr oedd yn aflonydd i gyd. A byddai'n siarad yn garbwl ag ef ei hun yn ddibaid. Byddai'n mynd allan am dro yn ddyddiol, ond martsio rownd a rownd yr ysbyty a wnâi yng nghwmni un o'r nyrsys. Yna dychwelai i'w gadair, eistedd ac ailddechrau crynu.

"Mae 'na newid yn sicr," meddai'r doctor wrth Catrin. "Dim ond gobeithio mai pen draw'r newid fydd gwella."

A rhoddodd hynny o eiriau obaith o'r newydd iddi.

* * *

Edrychodd Miriam Pritchard arni hi'i hun yn y drych, a doedd hi ddim yn hoffi'r ddynes a edrychai'n ôl arni. Un llanast oedd ei bywyd bellach. Roedd Elin wedi dod adref o'r coleg, a gwyddai na allai eu perthynas fyth fod yr un fath. Roedd hi wedi gobeithio cael y cyfan drosodd cyn i Elin ddychwelyd.

Gwyddai fod Evan yn treulio amser yng Nghae Cudyll ers marw Tom, dan yr esgus o gynorthwyo oherwydd anabledd Johnny, ac er pan ddywedodd Elin wrthi fod Johnny wedi dweud y cyfan wrthi am yr hyn a wnaeth y ddau ohonyn nhw, fedrai Miriam ddim dwyn ei hun i wynebu Johnny chwaith. A beth petai Evan neu Catrin yn dod i wybod am hynny?

Dynes ddrwg a'i hwynebai yn y drych.

Ymhen ychydig amser byddai Elin a Johnny'n priodi, ac yn mynd i fyw ymhle? Cae Cudyll hefo Catrin? Neu Dyrpeg Ucha hefo hi ac Evan? Na, roedd ei hamser i fynd wedi cyrraedd.

Roedd y ddau ddewis yn annerbyniol iddi.

Petaen nhw'n mynd i Gae Cudyll, fedrai hi ac Evan fyth gyd-fyw o dan yr unto. A phetaen nhw'n dod i Dyrpeg Ucha mi fyddai pethau'n annifyr o gofio am yr hyn a fu rhyngddi hi a Johnny.

A waeth beth a ddigwyddai mi fyddai Evan a Catrin yn parhau â'u perthynas ac mi fyddai hi Miriam yma'n niwsans i bawb a phopeth. Am a wyddai hi, roedd y ddau ohonyn nhw eisoes wedi trefnu'u dyfodol. A doedd dim lle iddi hi Miriam yn nyfodol neb.

Doedd ganddi ddim dewis felly. Roedd popeth wedi dadfeilio o'i chwmpas.

Yna meddyliodd am Hugh yn Ninbych. Y fo, ddiniwed, oedd wedi dod trwy'r cyfan orau. Wedi'i gaethiwo o fewn ei fyd bach ei hun, yn anymwybodol o bopeth oedd yn digwydd i'w deulu – i'w ddau deulu. Byd bach diniwed, ymhell o'i bywyd beunyddiol, dyna a ddeisyfai Miriam hefyd.

Ac yn y cywair hwnnw o feddwl y cerddodd o Dyrpeg Ucha gan adael y drws yn agored led y pen. Cerdded i ddechrau i lawr i Dir Neb. Aros ac oedi yma. Cofiodd am ei thad yn dweud hanes y gynnen a fu rhwng y ddau deulu cyn setlo ar y ffiniau. Cofiodd am Elin yn dweud am Evan a Catrin yn caru yma. Cofiodd gerdded y llwybr hefo Johnny.

Johnny! Am un prynhawn, roedd Johnny wedi gwneud iddi deimlo fel dynes unwaith eto...

Johnny a hithau'n caru yn y tŷ gwair. Ai dyna pam y cerddai tuag yno rŵan?

Gwthiodd y drws yn agored. Roedd yna ogla da yma. Ogla gwair a hwnnw'n llenwi mwy na hanner y lle. Wedi'i godi'n uchel at y trawstiau. Petai'n camu i ben y gwair gallai gyrraedd y trawstiau.

A dyna a wnaeth hi. Tynnu'i hesgidiau a chamu dros y gwellt crin ac eistedd ar frig y das. Roedd teimlo'r gwellt cras o dan ei thraed noeth yn dwyn atgofion yn ôl iddi am ei phlentyndod. Roedd hi'n uchel i fyny. Roedd o fel eistedd ar fin dibyn. Cofiai fel y byddai, yn eneth fach, yn neidio o dop y das, a glanio ar y gwellt meddal yn y gwaelod. Ac roedd hi yma, flynyddoedd yn ddiweddarach, ar fin dibyn eto.

Gorweddodd yn ei hôl a syllu ar do'r tŷ gwair a oedd ychydig droedfeddi uwch ei phen. A dyna pryd y gwelodd hi'r rhaff...

* * *

Yn ôl yng Nghae Cudyll, roedd Catrin Hughes newydd roi ei galennig i'r postmon – rhag ofn na welai ef cyn y flwyddyn newydd. Llythyr o Ddinbych oedd ganddo heddiw. Llythyr gan Dr Hutchinson siŵr o fod. Ochneidiodd Catrin pan welodd fod enw Tom ar yr amlen hefyd.

Rhwygodd yr amlen yn agored, a thynnu'r llythyr ohono. Fferrodd ei gwaed pan ddarllenodd y llythyr.

Anwil Mam a Dad a Johnny,

Mai powb yn gredig am fo Nadolig yn dod. Mi ces bapur a ffensal gin metron i sgweni adra. Ninion fel on in gneud o trenches cin mind yn sal.

Eiddwn i eisho deid am helint Johnny eiddwn i mam am mod i rwan yn cofio. Eiddiwn in riard a glyweis swn tori coed. Eiddwn in gwbod bod Johnnyn tori coed yn scibor a ces i fewn i weld o. Eidd Johnny yn crio wth dori plocia. Yspiodd arnai. Dwimisho mind Hugh edda fo dwimisho mind. Dwimisho mind edda fo wedin, A neith o godir wyallt uwch i ben. Eidd i droed o ar plocyn mowr a reith or wyallt lawr ar i droed. Eidd o'n sgrechian ac eidd gwaud bob man ar wyallt yn dal yn sywnd yn droed o. Nes i dynur wyallt a gafal amdan Johnny a ddaeth Tada mewn. Eiddwn in methu gneud dim on gafal yn Johnny fo un llaw a gafal yn wyallt for llall a nath Tada weiddi iesu iesu beti'n neud. Eiddwn im yn dallt. Eiddwn i wedin yn deffron rhinws a din yn gweuddu a find a fin dol i fama. Prid cai ddod adra mam. Hugh.

Edrychodd Catrin Huws yn hir i'r tân trwy lygaid gloywon. "Hugh druan," meddai wrthi'i hun, drosodd a throsodd. Ond ai 'Hugh druan' roedd hi'n ei feddwl o ddifri? Ynteu 'Catrin druan'?

Gynnau fach, roedd hi'n dechrau gweld golau ym mhen draw'r twnnel. Roedd Tom wedi mynd... Miriam yn gadael

Evan. Roedden nhw wedi bod yn ystyried y gallai Evan a hithau fyw naill ai yng Nghae Cudyll neu Dyrpeg Ucha a Johnny ac Elin yn y llall. Roedd hi wedi cymryd yn ganiataol y byddai Hugh yn aros yn yr hosbital yn Ninbych am sbelan. Ond rŵan, rŵan os oedd hyn yn wir am Johnny...

Pan glywodd sŵn troed ar y rhiniog, a'r gliced yn codi taflodd y llythyr i ferw'r fflamau, ac edifarhau yn syth am wneud y fath beth.

Clywodd lais cyfarwydd Evan yn holi, "Oes 'ma bobol?"

"Tyrd drwadd, Evan."

Pan gamodd Evan Pritchard i'r ystafell, gwelodd Catrin yn sefyll â'i chefn at y tân. Arhosodd ennyd, ac edrych o'i amgylch.

"Wyt ti dy hun?"

"Ma' Johnny ac Elin hyd y lle 'ma'n rhywla. Duw ŵyr sut siâp fydd arno fo wedi mentro ar ei fagla."

A dyna pryd y gwelodd Evan y dagrau'n cronni yn ei llygaid.

"Catrin! Be sydd?" Camodd tuag ati.

"Dim byd!" meddai hithau, gan lyncu'i phoer a gwenu. Gafaelodd Evan amdani. " 'Mond meddwl am Hugh oeddwn i. Meddwl am Hugh."

Trodd yn ei hôl ac edrych unwaith eto i'r tân. Go damia! Roedd hi wedi cael ei siâr o brofedigaethau. Pam na châi hi rywfaint o hapusrwydd rŵan? Pam na châi hi rywfaint o lonydd? Daliai i edrych i lygad y tân. Roedd y fflamau wedi ysu'r llythyr, a'i gynnwys wedi mynd am byth.

"Pam nad awn ni'n dau am dro, Catrin?"

"I ble? Ac i be?"

"Dechrau o'r newydd! Mae Tom druan wedi mynd, mae Miriam yn gadael... mae o'n gyfle i ni'n dau ddechrau o'r dechrau."

"Be 'dan ni wedi'i wneud, Evan?"

"Tyrd o'r felan 'na wir dduwcs! Yli, mi awn ni i gerddad yr hen lwybrau. Mi gawn ni roi popeth tu ôl i ni, a dechrau cynllunio am 'fory a'r flwyddyn nesa!"

Gwenu a wnaeth Catrin. Problemau newydd i'w hwynebu yn y flwyddyn newydd oedd Hugh a Johnny. Am rŵan, am heddiw o leiaf, roedd hi'n haeddu llonydd. Gafaelodd Evan yn ei llaw.

"Tyrd! Mi awn ni i gerdded Tir Neb, ac os byddi di'n lwcus..." Tynnodd hi ato a sibrwd yn ei chlust "... mi a' i â chdi i'r tŷ gwair!"